D0783475

ISBN 2.215.08521-5

Dépôt légal à la date de parution.
Conforme à la loi n ° 49-956 du 16 juillet 1949
sur les publications destinées à la jeunesse.
Imprimé en France par ***Partenaires Book***® (04/06)

Conception et texte :
Émilie Beaumont

Images :

Mélopée - C. Ferrier
S. Ledesma - J. Dayan
M.I.A - S. Caleffi - T. Gianno
G. Paulli - G. Vitale

FLEURUS

GROUPE FLEURUS, 15-27 rue Moussorgski 75018 PARIS
www.editionsfleurus.com

SOMM

AIRE

Les produits laitiers

Le fromage, les yaourts et les petits-suisses sont fabriqués à partir du lait de vache ou de chèvre.

Que peut-on ajouter dans un yaourt nature pour lui donner du goût ?

un yaourt

a yogurt

des petits-suisses

a cream cheese dessert

du lait

milk

On peut faire des fromages avec du lait de chèvre. Vrai ou faux ?

Que peut-on étaler sur une tartine de pain pour le goûter ?

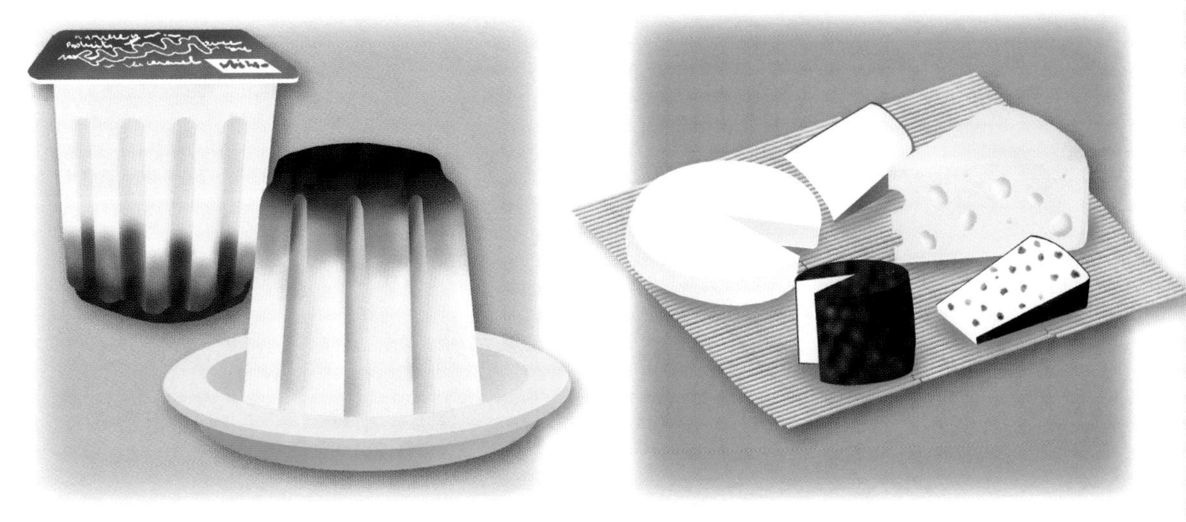

une crème dessert

a cream pudding

des fromages

cheeses

du beurre

butter

de la crème fraîche

cream

Pains et gâteaux

Le pain et les gâteaux
sont faits avec de la farine
que l'on obtient
en écrasant
les grains de blé.

Chez quel commerçant
achète-t-on le pain ?
Et les gâteaux ?

du pain

bread

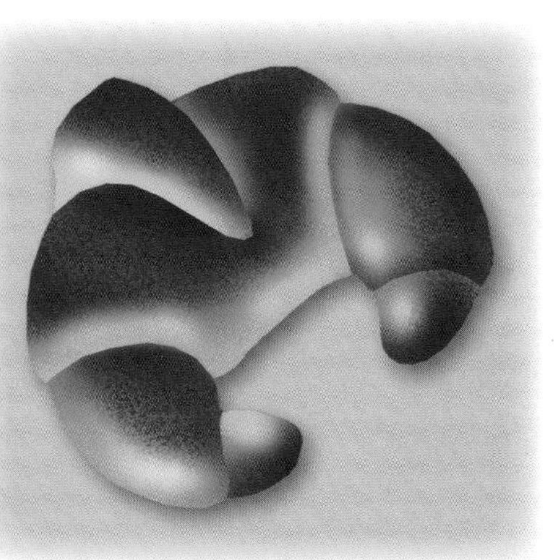

un croissant

a croissant

un sandwich

a sandwich

Quel gâteau, un peu long et bien décoré, mange-t-on à Noël ?

Quand on coupe du pain, aperçoit-on de la mie ou de la pie ?

une tarte

a tart

une galette

a Twelfth-night cake

des crêpes

pancakes

une bûche

a Yule log

Chez le boucher

On achète de la viande
chez le boucher.
C'est lui qui
prépare les rôtis
et les côtelettes.

Dans le poulet, quel morceau
préfères-tu : le blanc,
l'aile ou la cuisse ?

un rôti de bœuf

a roast beef

un poulet

a chicken

des côtes de veau

veal chops

Le pâté, les saucissons, le jambon, c'est de la charcuterie. Vrai ou faux ?

Quel est ton jambon préféré : le blanc ou le fumé ?

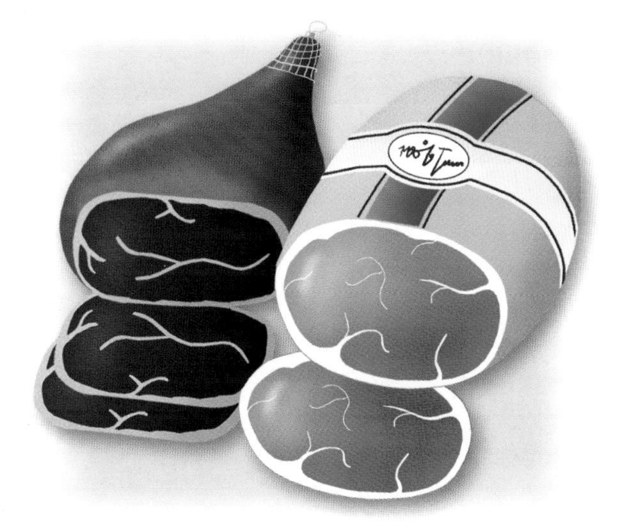

des jambons

hams

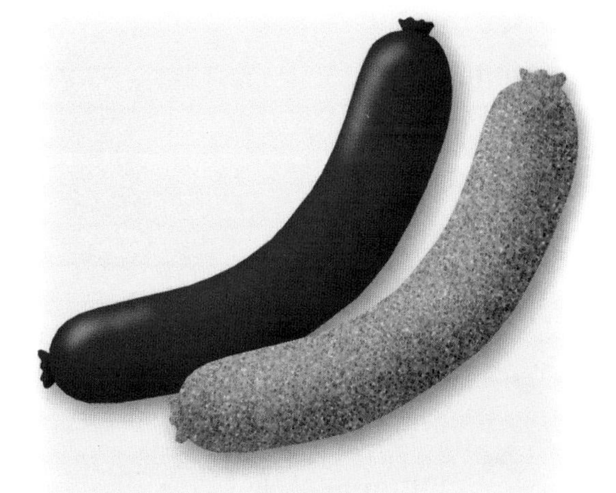

des saucisses

sausages

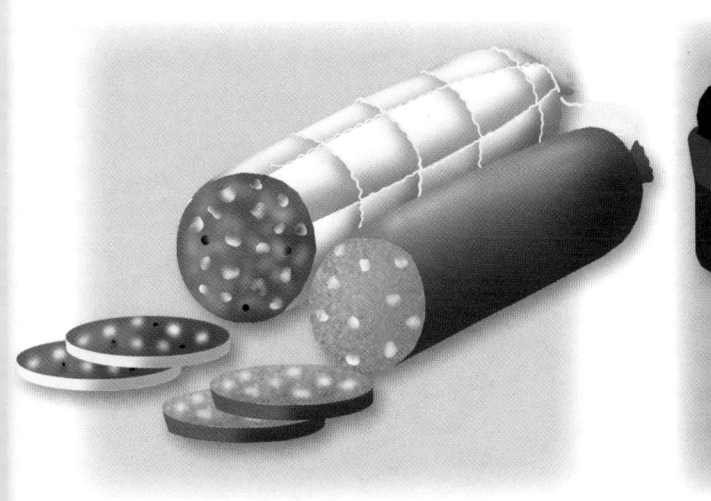

des saucissons

salamis

du pâté

pâté

Chez le poissonnier

On achète
les poissons,
les coquillages et
les crustacés chez
le poissonnier.

À quoi doit-on faire
attention quand on mange
du poisson ?

des poissons

fish

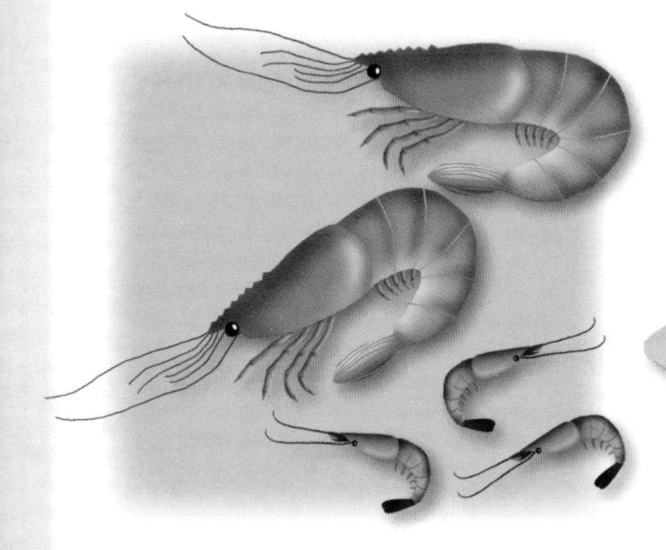

des crevettes

shrimp

du saumon fumé

smoked salmon

Montre le homard et la langouste. Lequel a de grosses pinces ?

Parmi les coquillages, montre l'huître, la moule et la coquille Saint-Jacques.

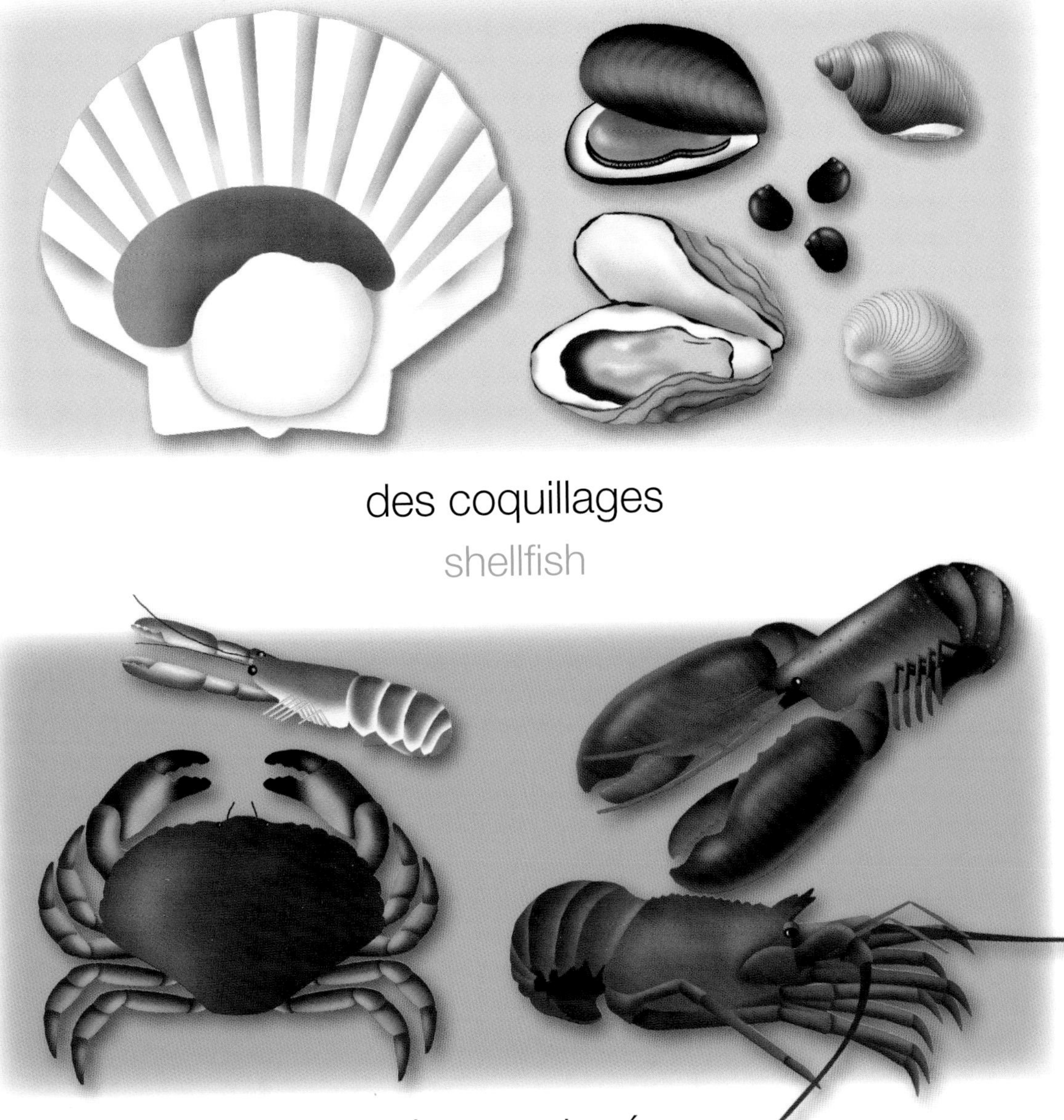

des coquillages

shellfish

des crustacés

shellfish

Chez l'épicier

On trouve du sel,
du poivre, du vinaigre,
de l'huile, etc.
Tout pour préparer
à manger.

Quel légume conserve-t-on
dans un bocal avec
du vinaigre ?

du sel

salt

du poivre

pepper

des cornichons

gherkins

Qu'est-ce qui est blanc
et qui est en poudre
ou en morceaux ?

Que bois-tu le matin :
du chocolat, du thé
ou du café ?

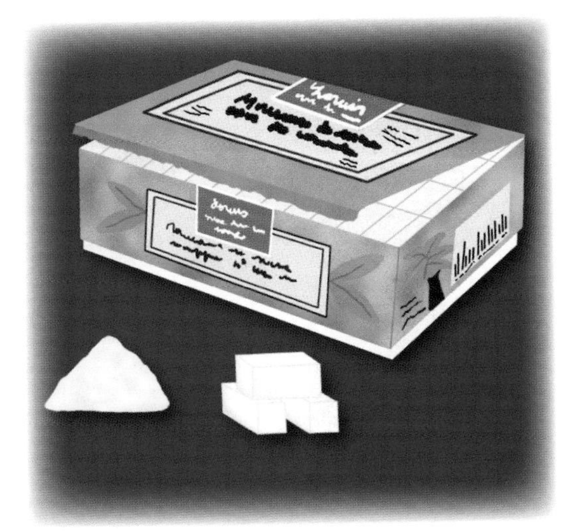

du sucre

sugar

du café

ground coffee

du thé

tea

des céréales

cereals

La farine est blanche. On l'utilise pour faire des gâteaux. Vrai ou faux ?

De quoi a-t-on besoin pour faire une vinaigrette ?

de la farine

flour

du chocolat

chocolate

du vinaigre

vinegar

des huiles

oils

On mange les œufs
à la coque, durs, au plat.
Comment les préfères-tu ?

Qu'est-ce qui est bon
mais qui fait mal aux dents
si on en mange trop ?

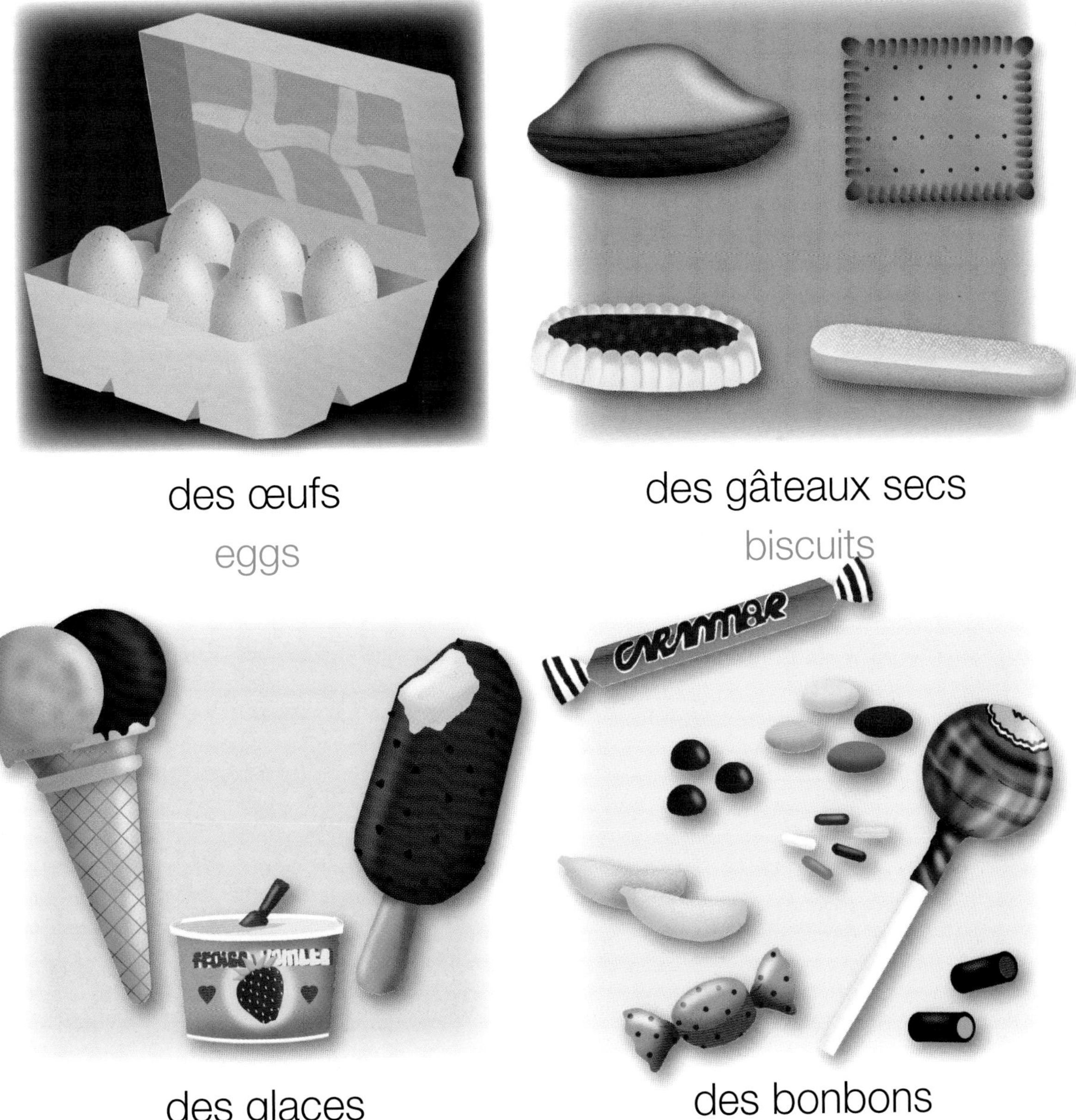

des œufs

eggs

des gâteaux secs

biscuits

des glaces

ice creams

des bonbons

sweets

Des fruits

Le pommier donne des pommes et le poirier, des poires. Que produit le pamplemoussier ?

Quels fruits peut-on presser pour faire du jus ? Lequel donne un jus très acide ?

une pomme
an apple

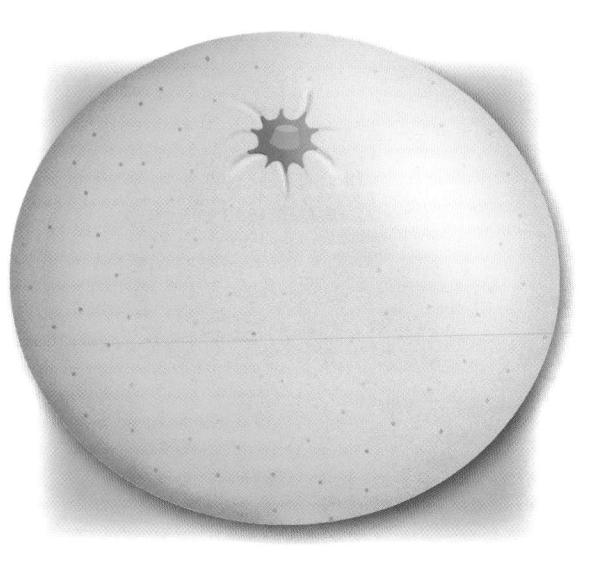

un pamplemousse
a grapefruit

une poire
a pear

Quel fruit cueille-t-on sur un pied de vigne en automne ?

Montre les deux fruits orange et dis lequel est le plus gros.

un citron

a lemon

une mandarine

a tangerine

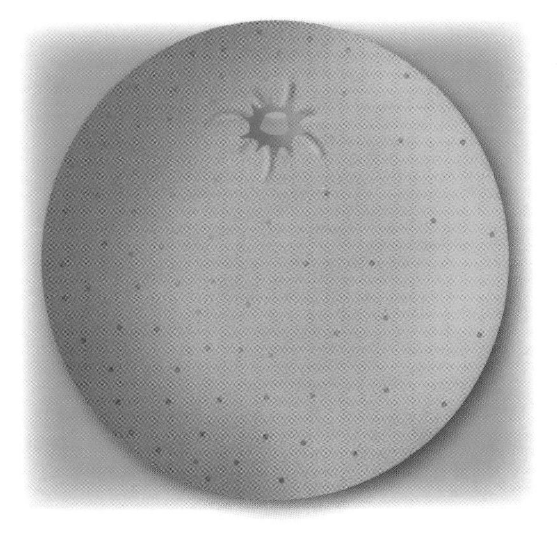

une orange

an orange

du raisin

grapes

Quel fruit se mange surtout comme un légume, cuit ou en salade ?

Quels fruits fait-on cuire avec du sucre pour faire de bonnes confitures ?

des cerises

cherries

une fraise

a strawberry

une tomate

a tomato

des framboises

raspberries

Dans quels fruits trouve-t-on un noyau ? Il ne se mange pas.

Quel fruit à la peau jaune peut-on manger toute l'année ?

un abricot

an apricot

des prunes

plums

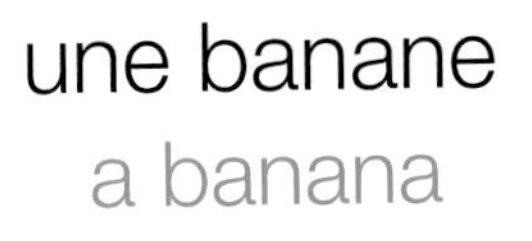

une banane

a banana

une pêche

a peach

Quels fruits assez gros
et tout ronds se mangent
en tranches, surtout en été ?

Quel petit fruit marron
est poilu à l'extérieur
et tout vert à l'intérieur ?

un ananas

a pineapple

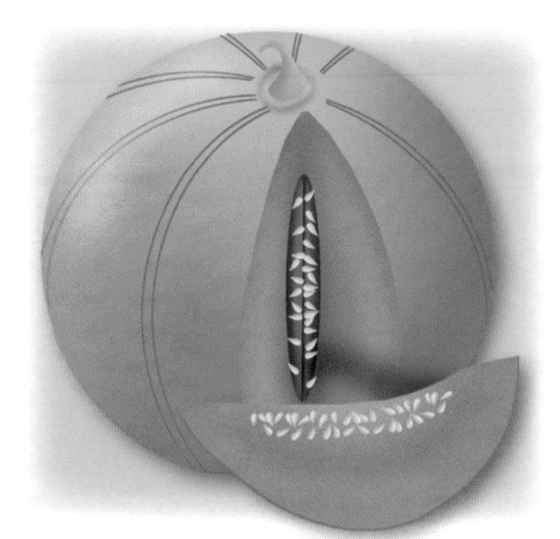

un melon

a melon

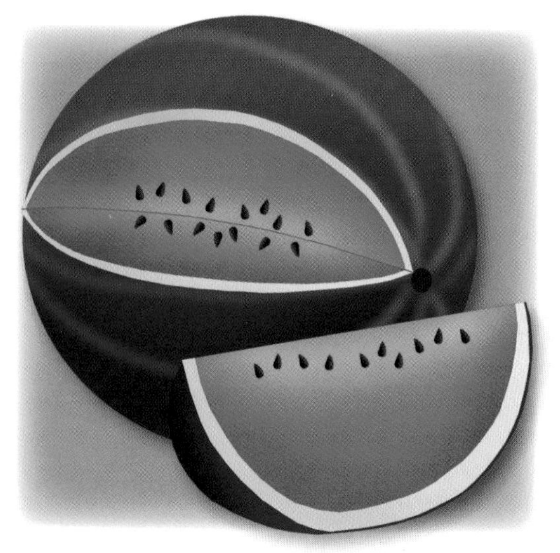

une pastèque

a watermelon

un kiwi

a kiwi fruit

Quels fruits peut-on ramasser en automne dans les bois ?

Quel fruit est protégé par une coque couverte d'épines ?

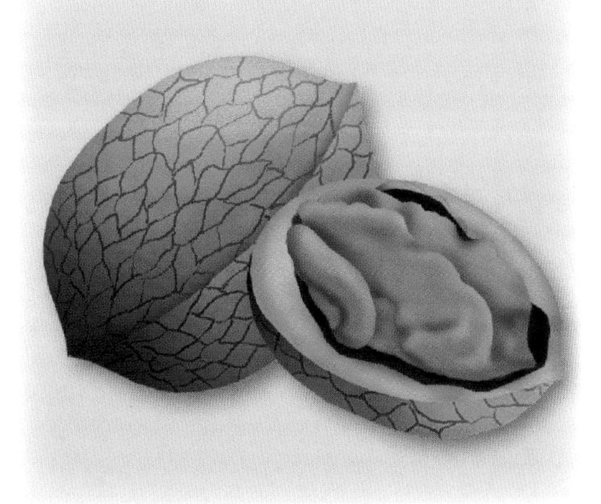

des noix

nuts

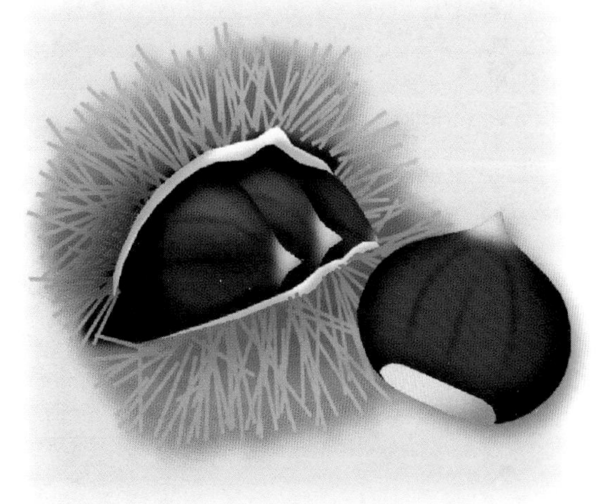

des châtaignes

chestnuts

des noix de coco

coconuts

des noisettes

hazelnuts

Des légumes

Ce sont des aliments que l'on cultive dans le potager. Ils accompagnent en général les viandes et les poissons.

Nomme des aliments avec lesquels on peut faire de la soupe.

un poireau

a leek

une carotte

a carrot

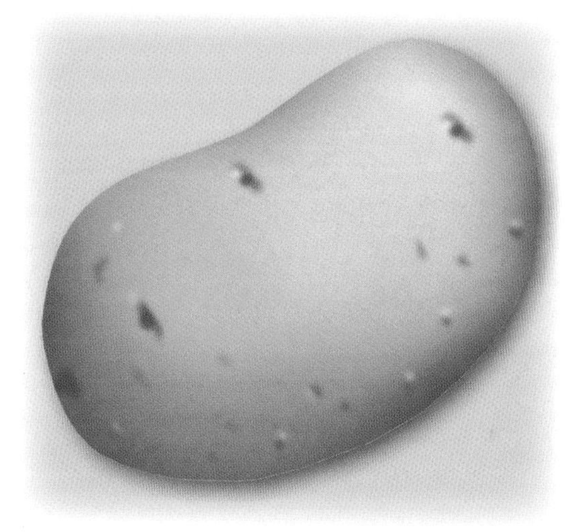

une pomme de terre

a potato

Avec quel légume fait-on de la purée, des gratins et des frites ?

Quel légume se mange cru avec du sel et du beurre ?

une courgette

a courgette

une aubergine

an aubergine

un chou

a cabbage

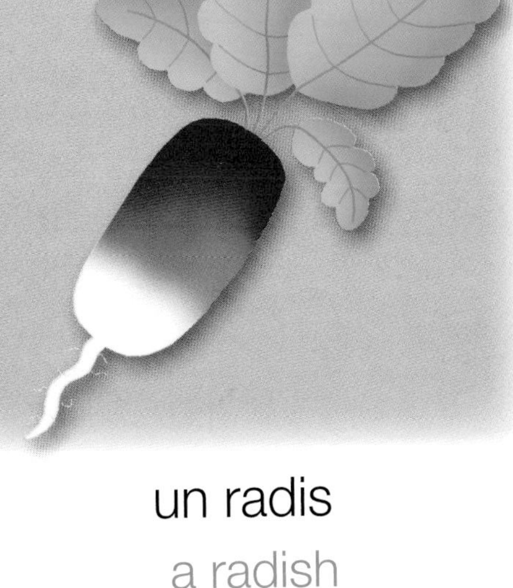

un radis

a radish

Quel légume a des grains jaunes tout serrés les uns contre les autres ?

Quels légumes coupe-t-on souvent en rondelles pour les manger ?

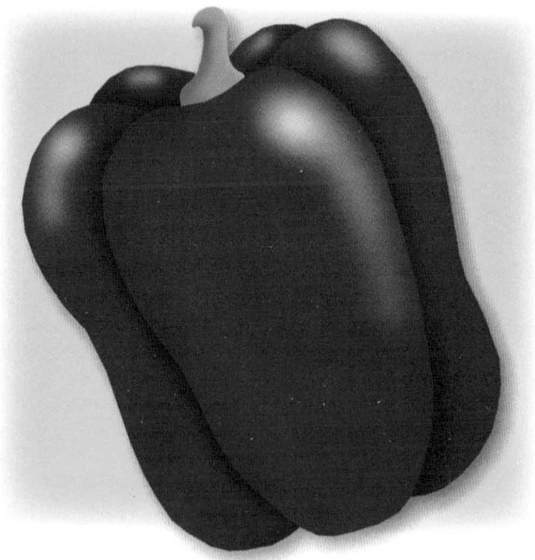

un poivron

a pepper

un épi de maïs

corn on the cob

une salade

a lettuce

une endive

chicory

Quels légumes mange-t-on souvent en vinaigrette ?

De quel légume mange-t-on une partie des feuilles ?

un chou-fleur

a cauliflower

un concombre

a cucumber

un brocoli

broccoli

un artichaut

an artichoke

Quels légumes fait-on cuire souvent dans de l'eau ?

Quel gros légume sert en décoration pour la fête de Halloween ?

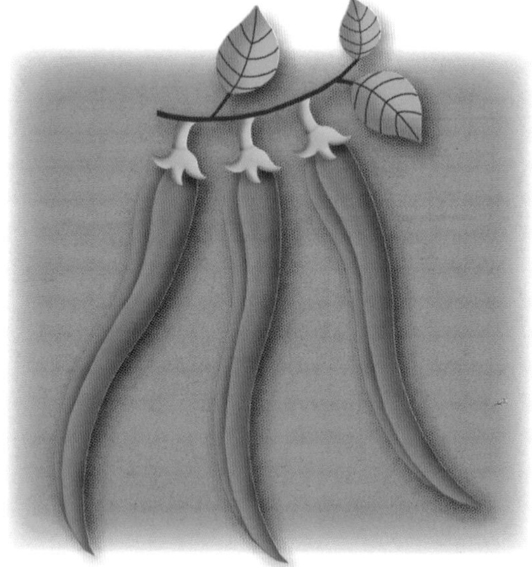

des haricots

string beans

une citrouille

a pumpkin

des champignons

mushrooms

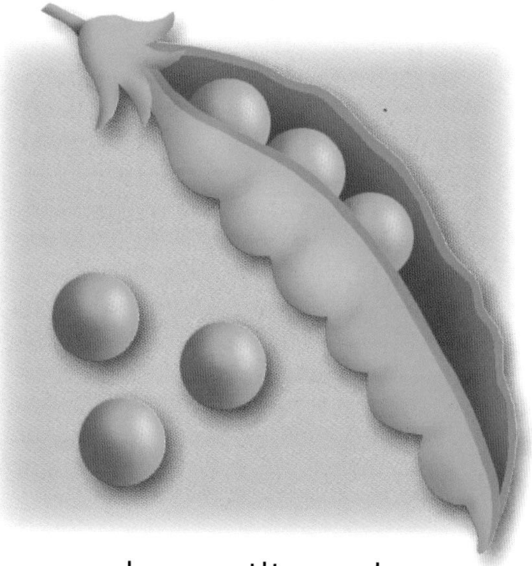

des petits pois

peas

Quel légume
fait pleurer lorsqu'on
l'épluche ?

Qu'est-ce qui pousse dans
une champignonnière
ou dans les bois ?

une échalote

a shallot

de l'ail

garlic

un oignon

an onion

des fines herbes

herbs

Dans la cuisine

La cuisine est une pièce importante de la maison. C'est là que l'on prépare les repas.

Dans quelle machine met-on la vaisselle pour qu'elle soit nettoyée ?

un évier

a sink

un lave-linge

a washing machine

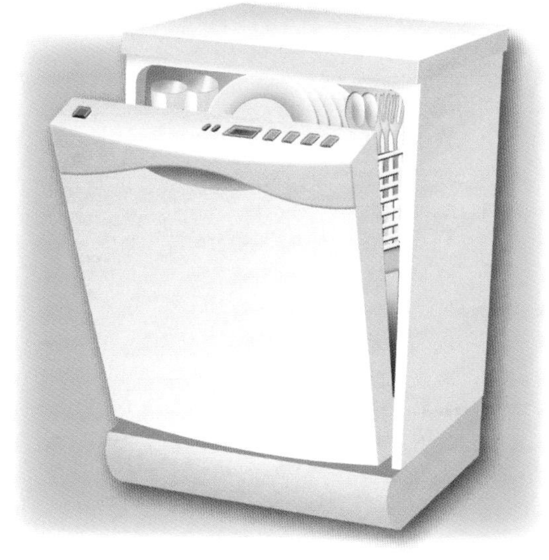

un lave-vaisselle

a dishwasher

Dans quel four fait-on décongeler des aliments très rapidement ?

Pour conserver les aliments au frais, où doit-on les ranger ?

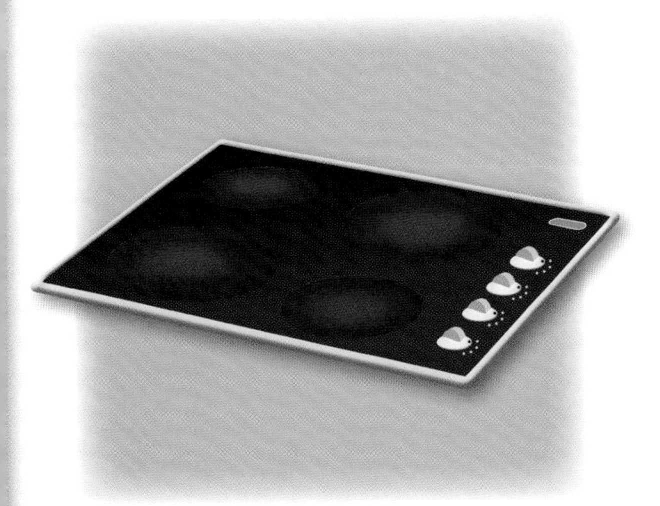

une table de cuisson

a hob

une cuisinière

a cooker

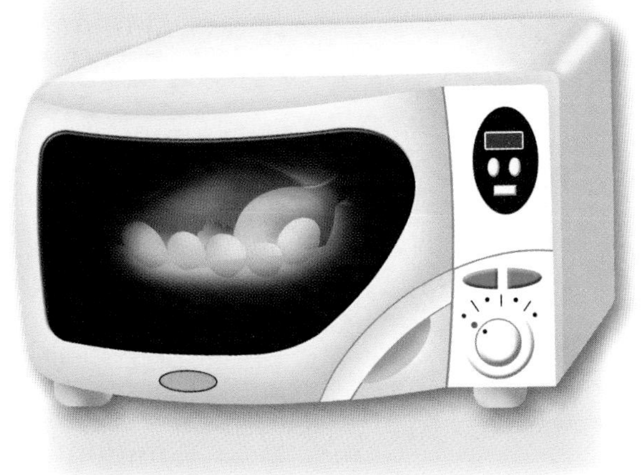

un four à micro-ondes

a microwave oven

un réfrigérateur

a fridge

Avec quel appareil électrique prépare-t-on le café ?

Quel appareil utilise-t-on pour faire cuire et dorer les frites ?

une cafetière

an electric coffee maker

un robot ménager

a food processor

une friteuse

a deep-fat fryer

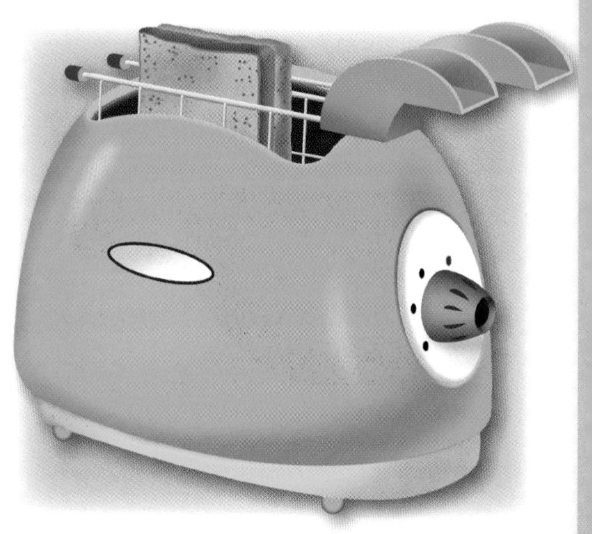

un grille-pain

a toaster

Qu'utilise-t-on pour essuyer la vaisselle ?

Sur quoi s'assoit-on pour manger à table ?

une table

a table

une chaise

a chair

une nappe

a tablecloth

un torchon

a tea towel

Dans quels plats fait-on cuire les gâteaux pour leur donner de jolies formes ?

Dans quoi fait-on cuire des biftecks ou des œufs au plat ?

des casseroles

saucepans

des moules à gâteau

cake tins

une poêle

a frying pan

une Cocotte-Minute

a pressure cooker

Quel couvert est dangereux parce qu'il coupe ?

Que pose-t-on devant son assiette et qui sert à boire ?

des couverts

forks and knives

une grande cuillère

a tablespoon

une petite cuillère

a teaspoon

des cuillères

spoons

une assiette

a plate

des verres

glasses

Dans quoi prend-on son petit déjeuner le matin ?

Dans quoi prépare-t-on le thé : une théière ou une cafetière ?

un plat

a dish

un saladier

a salad bowl

un bol

a bowl

une tasse

a cup

Sur quoi pose-t-on la viande pour mieux la découper ?

Avec quoi sort-on les légumes de l'eau bouillante ?

une louche
a ladle

une écumoire
a skimmer

une passoire
a colander

des ustensiles
kitchen utensils

une théière
a teapot

une planche à découper
a chopping board

Qu'utilise-t-on pour enlever la capsule d'une bouteille ?

De quoi avons-nous besoin pour enlever le bouchon d'une bouteille ?

un tire-bouchon

a corkscrew

un presse-citron

a lemon squeezer

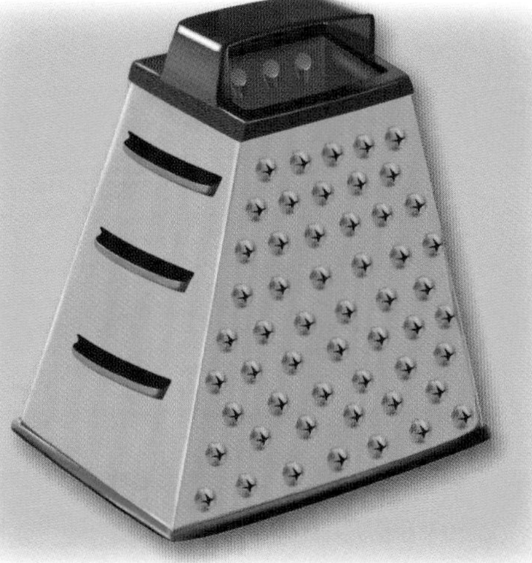

une râpe à fromage

a cheese grater

un décapsuleur

a bottle opener

Dans quoi dépose-t-on les vêtements sales si on ne les lave pas de suite ?

En pique-nique, dans quoi met-on les aliments pour qu'ils soient au frais ?

un seau

a bucket

un panier à linge

a laundry basket

une glacière

a cool box

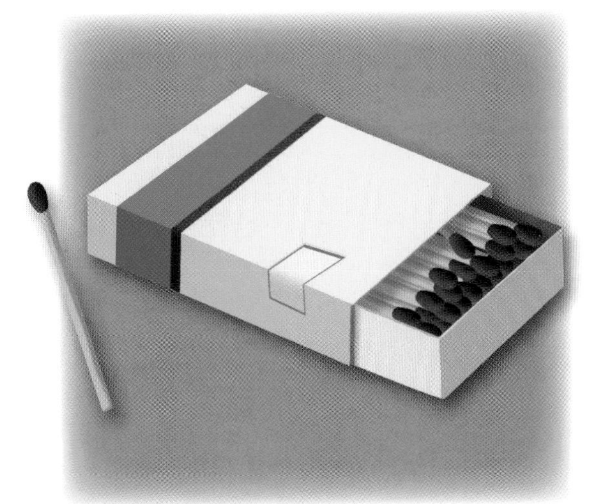

des allumettes

matches

Sur quoi pose-t-on le linge pour le faire sécher ?

Dans quoi jette-t-on les épluchures, les emballages, etc. ?

une éponge

a sponge

un séchoir à linge

a clothes drier

une poubelle

a dustbin

du liquide vaisselle

washing-up liquid

Qu'utilise-t-on pour enlever la poussière dans la maison ?

Qu'utilise-t-on pour repasser les vêtements froissés ?

un balai et une pelle

a broom and a dustpan

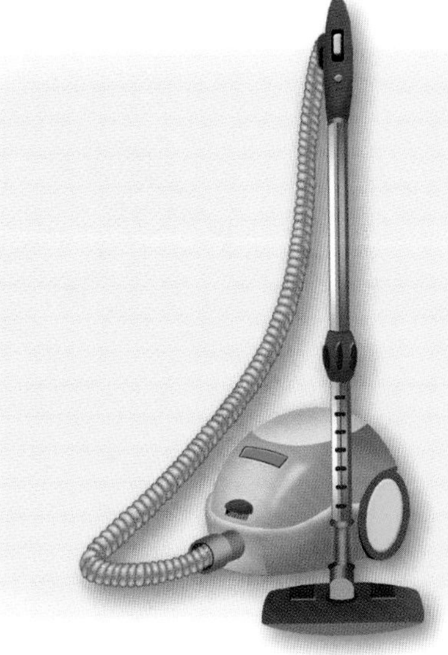

un aspirateur

a vacuum cleaner

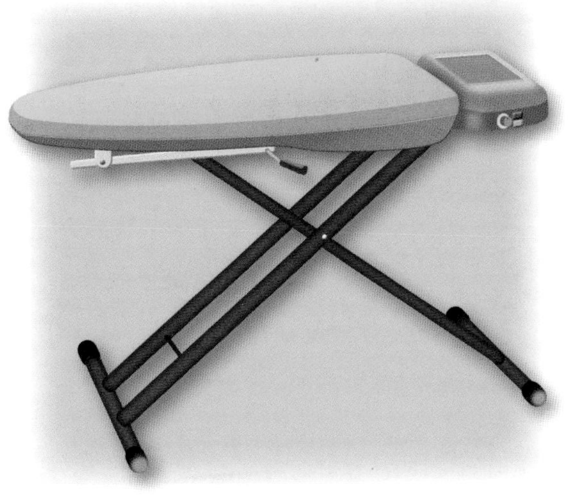

une table à repasser

an ironing board

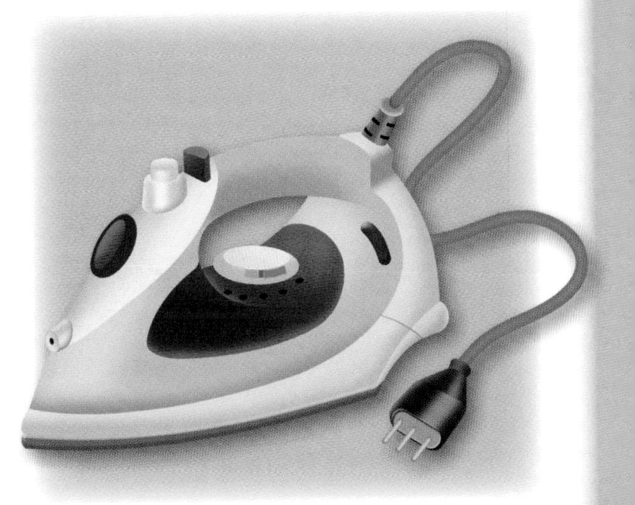

un fer à repasser

an iron

Dans le salon

Le salon est une pièce où l'on aime à se reposer, à regarder la télévision ou à écouter de la musique.

Dans quoi s'assoit-on confortablement pour se reposer ?

un canapé

a sofa

un fauteuil

an armchair

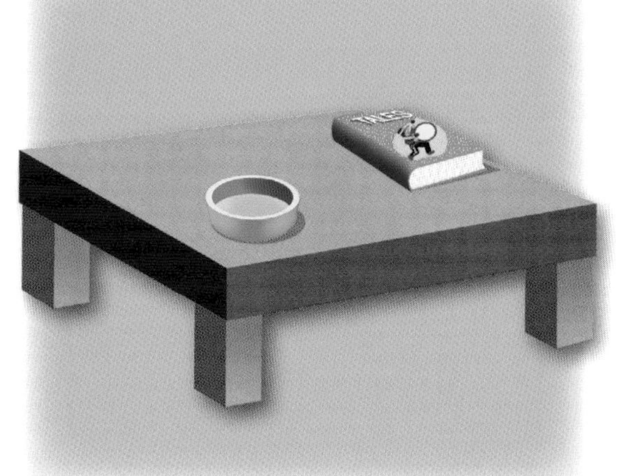

une table basse

a coffee table

Quel appareil fixé au mur permet de chauffer une pièce ?

Dans quel meuble à étagères range-t-on les livres ?

un tapis

a rug

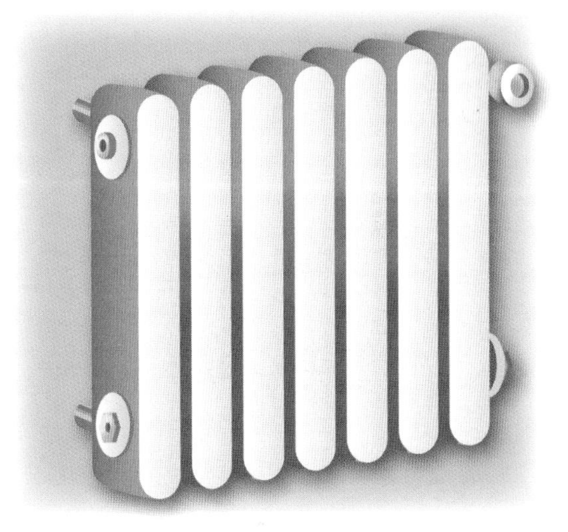

un radiateur

a radiator

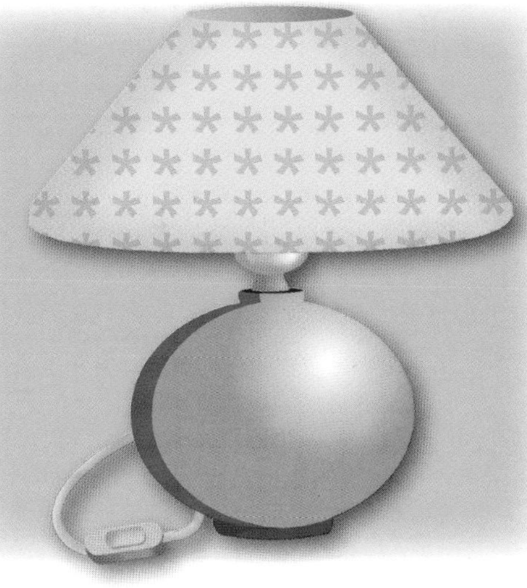

une lampe

a lamp

une bibliothèque

a bookcase

Qu'allume-t-on si on veut regarder un dessin animé ou un film ?

Dans quel appareil glisse-t-on un CD pour écouter de la musique ?

une télévision

a TV set

une chaîne hi-fi

a hi-fi

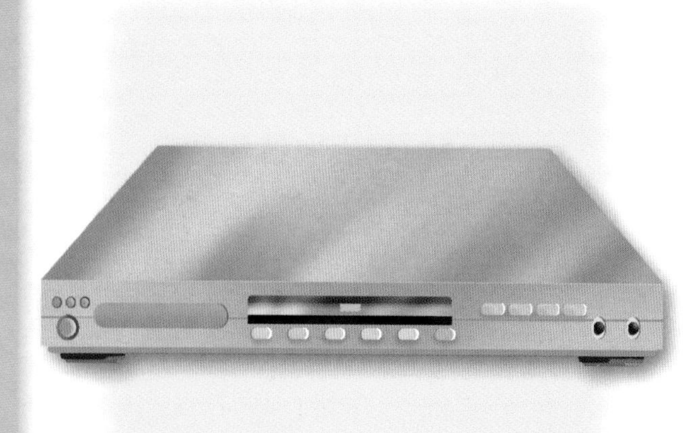

un lecteur de DVD

a DVD player

un CD

a CD

Dans quel récipient rempli d'eau met-on les fleurs coupées ?

Qu'est-ce qui s'accroche au plafond et permet d'éclairer une pièce ?

des vases

vases

un lustre

a hanging light

des rideaux

curtains

un cadre

a frame

Dans la salle de bains

La salle de bains est la pièce où l'on fait sa toilette et où l'on prend un bain ou une douche.

Dans quoi fait-on couler l'eau pour se laver les mains ?

une armoire de toilette

a bathroom cabinet

un lavabo

a washbasin

une baignoire

a bathtub

Sur quoi monte-t-on pour se peser ?

Quand on veut se laver rapidement, prend-on une douche ou un bain ?

une douche

a shower

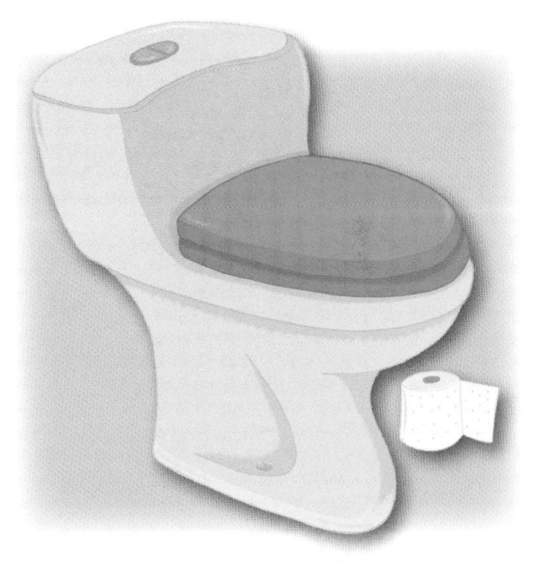

une cuvette de w.-c.

a toilet

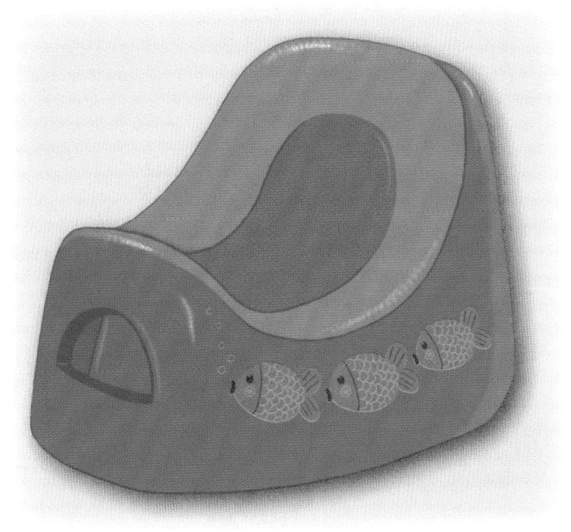

un pot

a potty

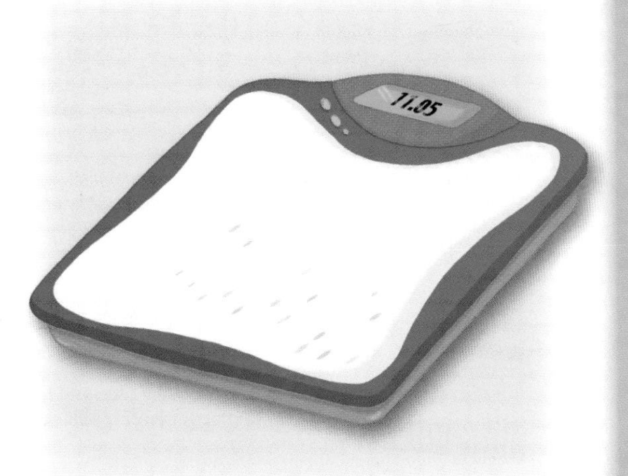

un pèse-personne

bathroom scales

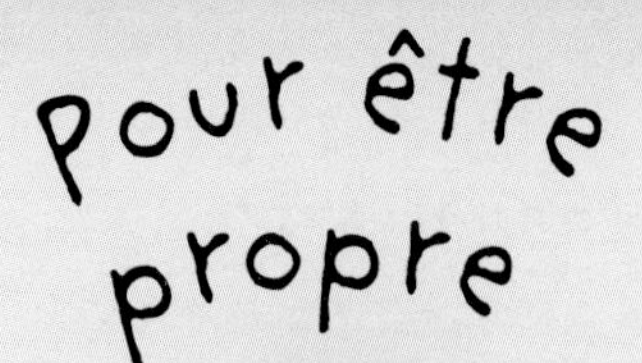

Il faut se laver
tous les jours afin
de sentir bon et pour
enlever la saleté qui se
dépose sur la peau.

Avec quoi se
lave-t-on les cheveux
régulièrement ?

du savon

soap

du gel douche

shower gel

du shampooing

shampoo

Qu'utilise-t-on pour
se nettoyer correctement
les dents ?

Qu'utilise-t-on pour
couper les ongles
trop longs ?

des ciseaux à ongles

nail scissors

des Cotons-Tiges

cotton buds

des brosses à dents

toothbrushes

du dentifrice

toothpaste

Avec quoi s'essuie-t-on quand on sort du bain ?

Avec quoi Maman se maquille-t-elle ?

une serviette

a towel

un peignoir

a bathrobe

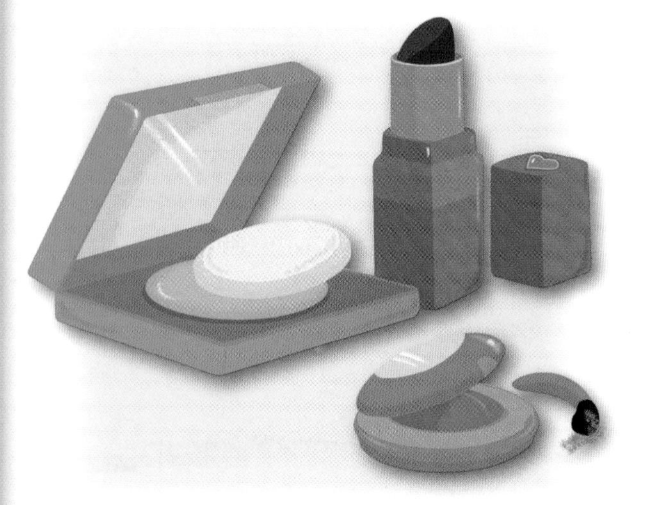

du maquillage

make-up

du vernis à ongles

nail polish

Qu'utilise Papa tous les matins pour enlever sa barbe ?

Que met-on sur soi pour sentir bon ?

des rasoirs

razors

de la mousse à raser

shaving foam

des lingettes

wipes

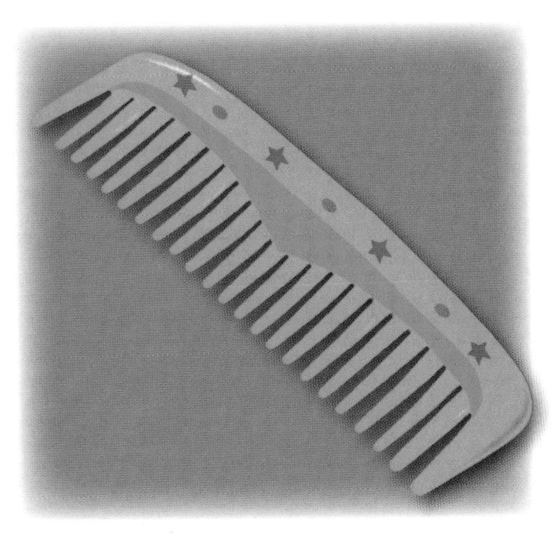

un peigne

a comb

Lorsqu'on a les cheveux mouillés, de quoi se sert-on pour les sécher ?

De quoi avons-nous besoin pour nous coiffer ?

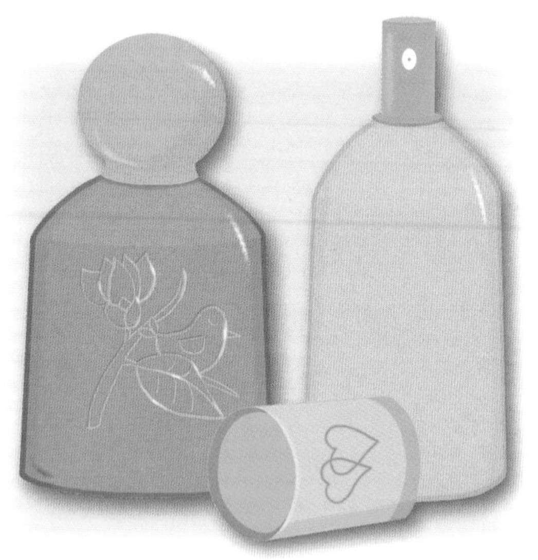

des parfums

perfumes

un miroir

a mirror

une brosse à cheveux

a hairbrush

un séchoir à cheveux

a hairdryer

Pour se soigner

Quand on ne se sent pas bien, que l'on a chaud à la tête, c'est sûrement que l'on est malade. Il faut se soigner.

Un thermomètre sert à prendre la température. Vrai ou faux ?

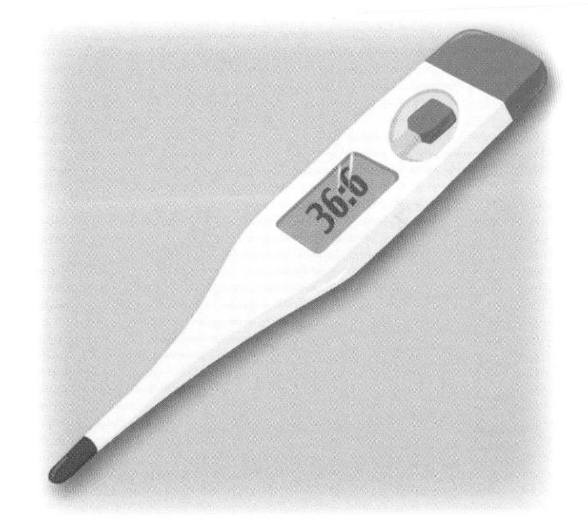

un thermomètre médical

a medical thermometer

des médicaments

medicines

des pansements

sticking plasters

Dans la chambre

La chambre est une pièce où l'on dort, mais aussi où l'on s'amuse avec ses jouets.

À côté de son lit, sur quoi pose-t-on son réveil ou son livre ?

un lit
a bed

une table de nuit
a bedside table

un bureau
a desk

Dans quoi doit-on déposer ses jouets afin de les ranger ?

Dans quels meubles met-on les vêtements ?

un réveil

an alarm clock

une armoire

a wardrobe

un coffre à jouets

a toy chest

une commode

a chest of drawers

Pour les bébés

Dès sa naissance, bébé a besoin de vêtements et d'objets spécialement pour lui.

Dans la rue, dans quoi promène-t-on bébé ?

un lit de bébé

a cot

une poussette

a child's pushchair

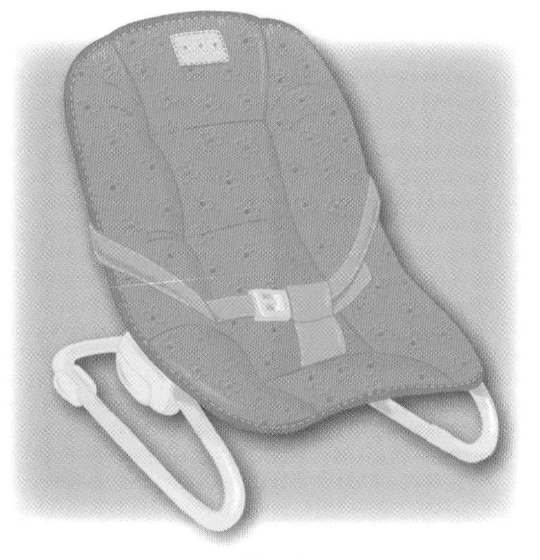

un Relax

a baby chair

Pour endormir bébé, qu'accroche-t-on au-dessus de son lit ?

Que faut-il changer plusieurs fois par jour pour que bébé reste au sec ?

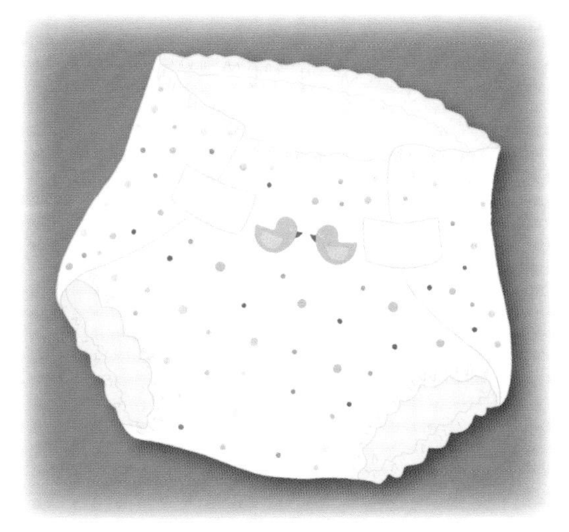

une couche

a nappy

un mobile

a mobile

une tétine

a dummy

un porte-bébé

a baby sling

Des jouets

On reçoit des jouets pour son anniversaire, pour sa fête, et surtout pour Noël.

Quel est le jouet préféré des petites filles ?

une poupée
a doll

une peluche
a soft toy

une dînette
a doll's dinner service

Quel jeu est constitué de plusieurs petits morceaux que l'on doit assembler ?

Avec quoi fait-on tomber toutes les quilles ?

des cubes

bricks

des quilles

skittles

un puzzle

a jigsaw puzzle

un livre

a picture book

Avec quoi joue-t-on souvent sur la plage en été ?

On fait bouger les marionnettes avec les mains. Vrai ou faux ?

des marionnettes

puppets

un ballon

a ball

un jeu de petits chevaux

a board game

un seau

a bucket

Quelles chaussures spéciales à roulettes porte-t-on pour aller vite ?

Sur quel jouet peut-on apprendre à pédaler sans risquer de tomber ?

des rollers

rollerblades

un tricycle

a tricycle

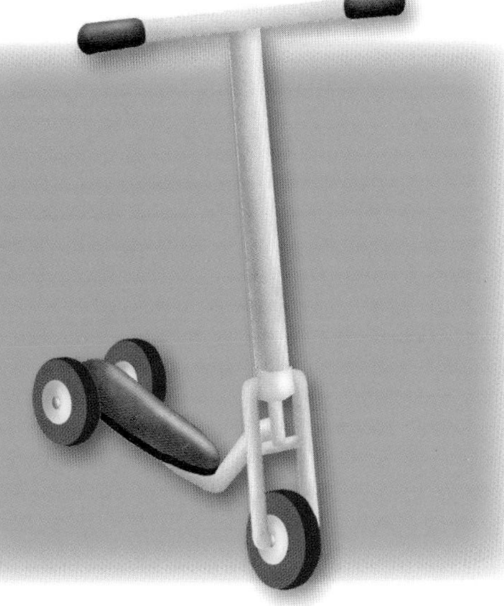

une trottinette

a child's scooter

des cartes à jouer

playing cards

Pour bricoler

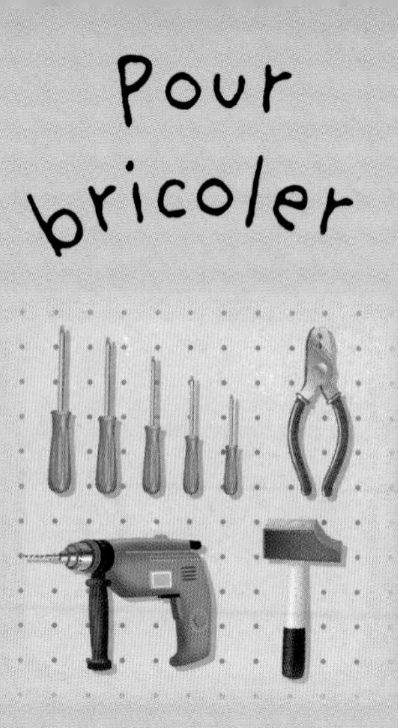

Les outils sont des instruments qui permettent de réparer, d'installer ou de construire quelque chose.

Quel outil à dents permet de scier du bois ?

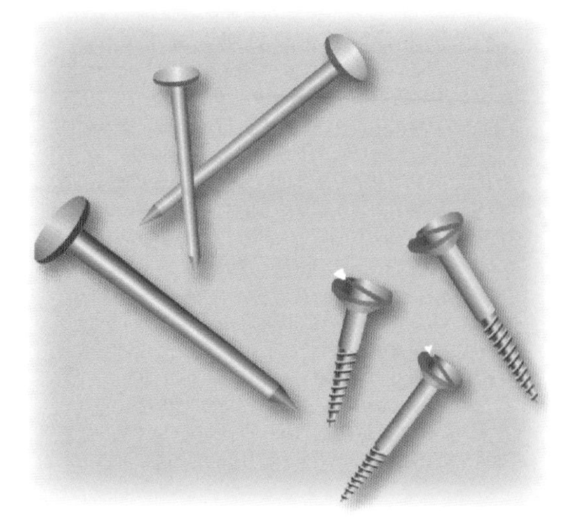

des vis et des clous
screws and nails

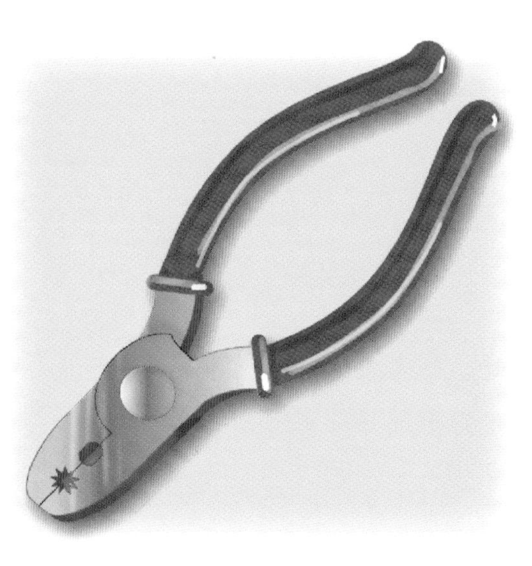

une pince
pliers

une scie
a saw

Quelle machine électrique permet de faire des trous dans les murs ?

Avec quoi tape-t-on pour planter un clou ?

un tournevis
a screwdriver

un marteau
a hammer

une perceuse
a drill

un escabeau
a stepladder

Dans le jardin

Dans le jardin,
on peut faire pousser
des légumes ou
simplement du gazon
avec des fleurs.

De quel objet, qui fonctionne à l'électricité ou à l'essence, a-t-on besoin pour tondre le gazon ?

une tondeuse
a lawnmower

un arrosoir
a watering can

un tuyau
a hose

À quoi sert un sécateur :
à couper les plantes
ou à les arroser ?

Pour enlever les feuilles,
prend-on un râteau
ou une bêche ?

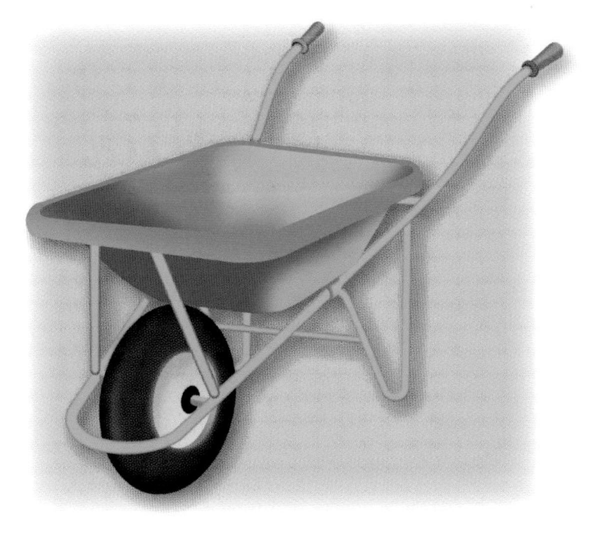

une brouette

a wheelbarrow

un râteau

a rake

un sécateur

secateurs

une bêche

a spade

Dans le sac à main

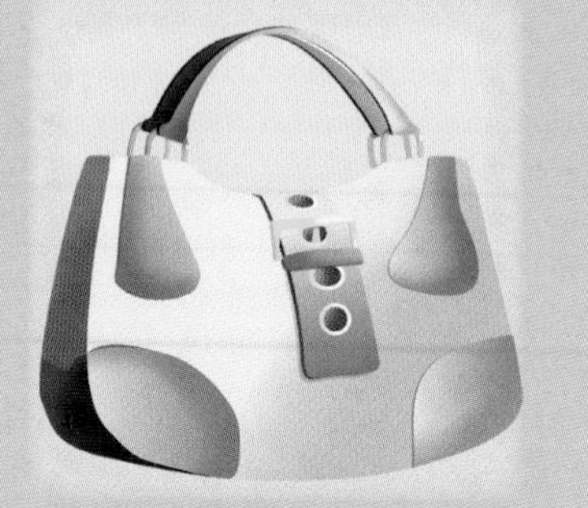

Le sac à main permet de ranger des petits objets à soi.

Dans un portefeuille, on range des cartes de crédit et de l'argent. Vrai ou faux ?

un chéquier

a checkbook

de l'argent

money

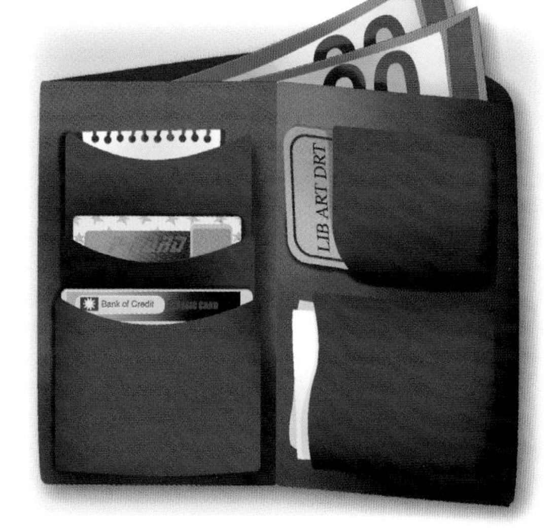

un portefeuille

a wallet

Avec quoi peut-on régler des achats dans un magasin ?

Que doit-on porter pour protéger ses yeux des rayons du soleil ?

une carte bancaire

a credit card

des lunettes

glasses

un téléphone portable

a mobile phone

des clés

keys

À l'école

La première école
où vont les enfants,
c'est la maternelle
ou la crèche ?

Dans quoi range-t-on les
cahiers, les livres
et la trousse ?

un cartable

a satchel

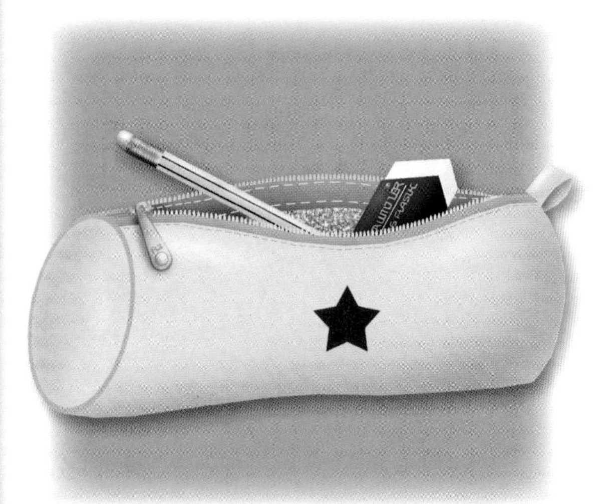

une trousse

a pencil case

un crayon à papier

a pencil

Qu’est-ce qui efface
le dessin au crayon
sur le papier ?

Quels crayons
utilise-t-on pour
faire du coloriage ?

des stylos
pens

des crayons de couleur
crayons

des feutres
felt-tip pens

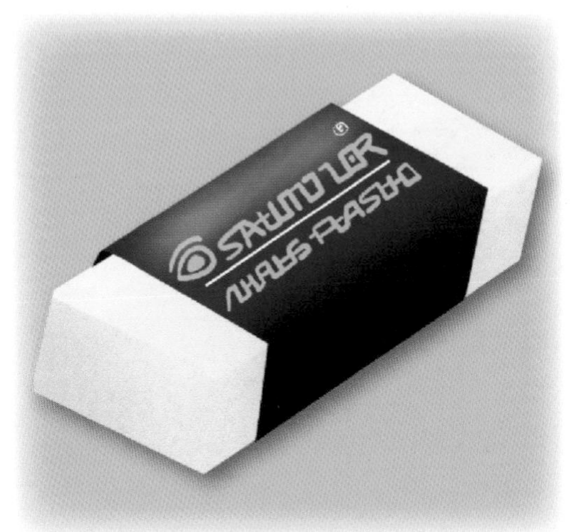

une gomme
a rubber

Avec quoi écrit-on sur une ardoise ?

De quoi a-t-on besoin pour faire de la peinture ?

une ardoise

a slate

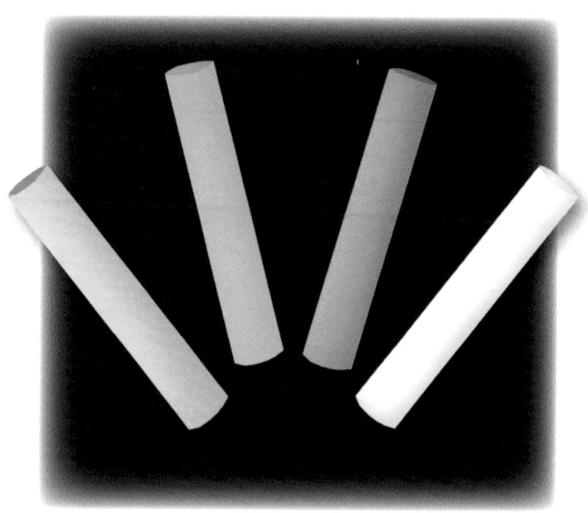

des craies

chalks

une éponge

a sponge

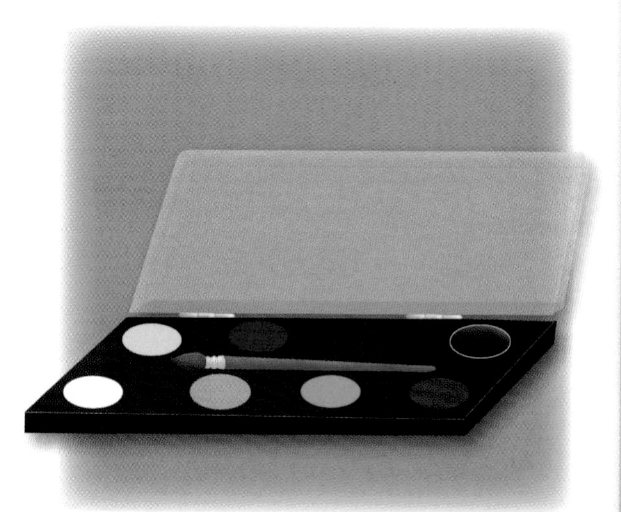

une boîte de peinture

a paintbox

Avec quoi peut-on
mesurer ou
tirer des traits ?

Écrit-on dans
un cahier ou
dans un livre ?

un classeur

a ring binder

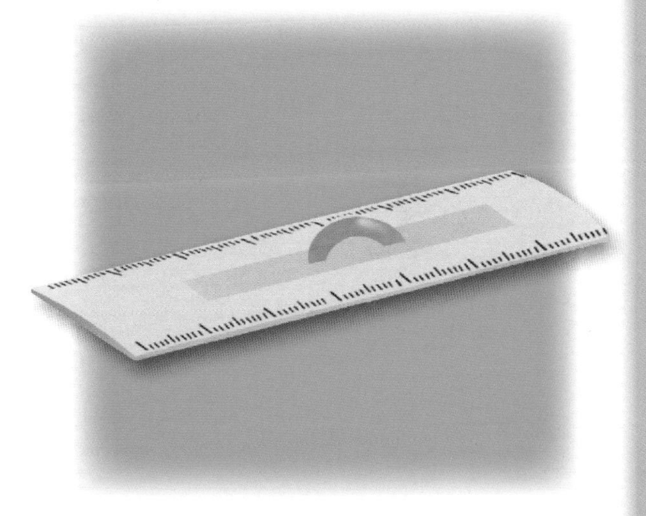

une règle

a ruler

un cahier

an exercise book

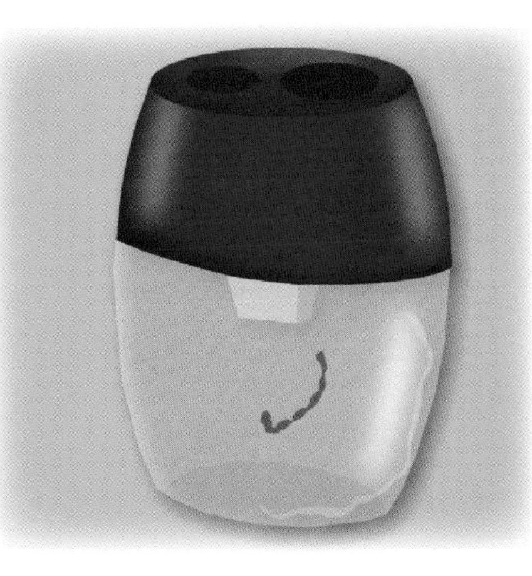

un taille-crayon

a pencil sharpener

Quand plusieurs musiciens jouent ensemble de différents instruments, ils forment un orchestre.

Quel instrument a un clavier avec des touches blanches et noires ?

une guitare

a guitar

un piano

a piano

un violon

a violin

Quels instruments produisent de la musique lorsque l'on souffle dedans ?

Quel instrument à plaques de métal frappe-t-on avec des baguettes ?

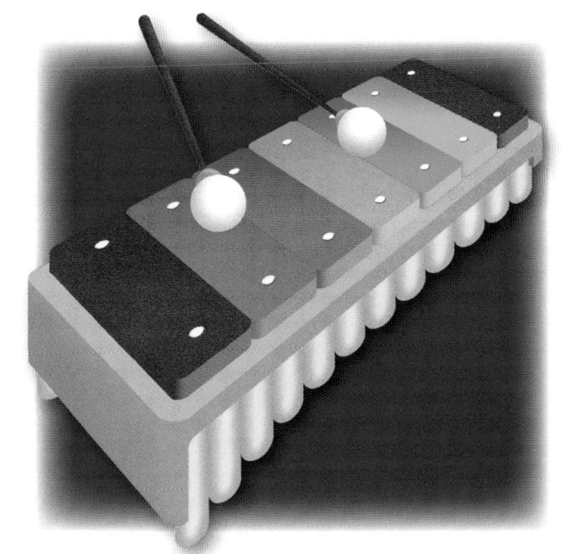

un xylophone

a xylophone

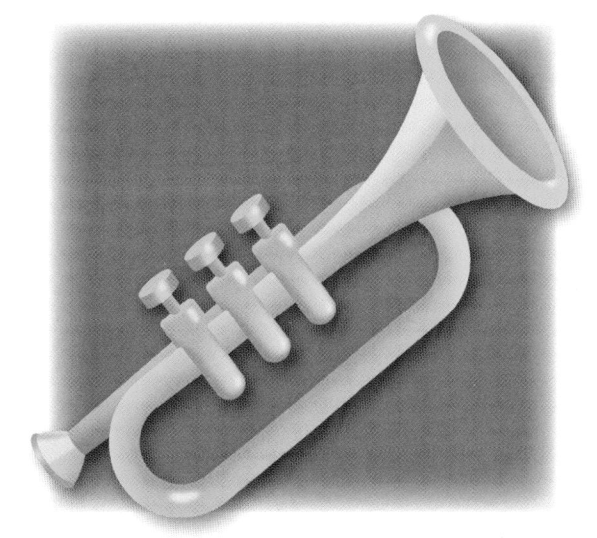

une trompette

a trumpet

un tambour

a drum

une flûte

a flute

Les loisirs

Quand on ne travaille pas, on peut se distraire en pratiquant un sport ou en jouant.

Avec quoi peut-on glisser sur la neige ?

une luge
a sledge

un surf
a surfboard

des skis
skis

Que prend-on pour aller en haut de la montagne sans marcher ?

Dans quoi regarde-t-on pour observer quelque chose de très lointain ?

des jumelles
binoculars

un sac à dos
a backpack

un parapente
a paraglider

un téléphérique
a cable car

Avec quel appareil peut-on faire des films ?

Avec quoi peut-on jouer aux jeux vidéo sur le téléviseur ?

une caméra

a video camera

un appareil photo

a camera

un ordinateur

a computer

une console de jeux

a game console

Quel sport nécessite d'avoir un grand sac pour ranger des clubs ?

Connais-tu des sports qui se pratiquent avec une raquette ?

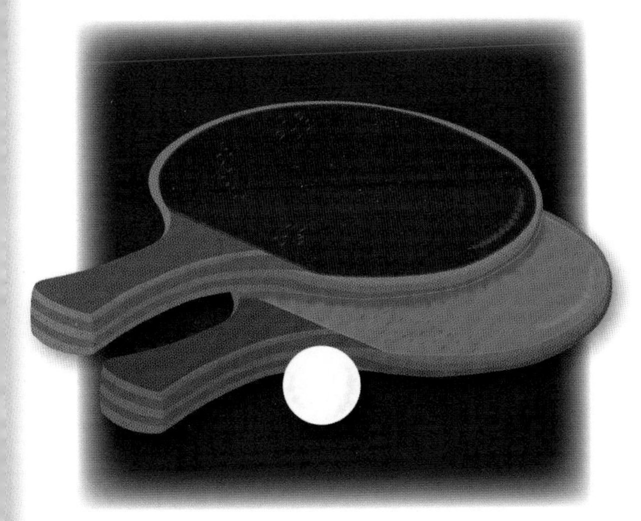

des raquettes de ping-pong

ping-pong bats

une raquette de tennis

a tennis racket

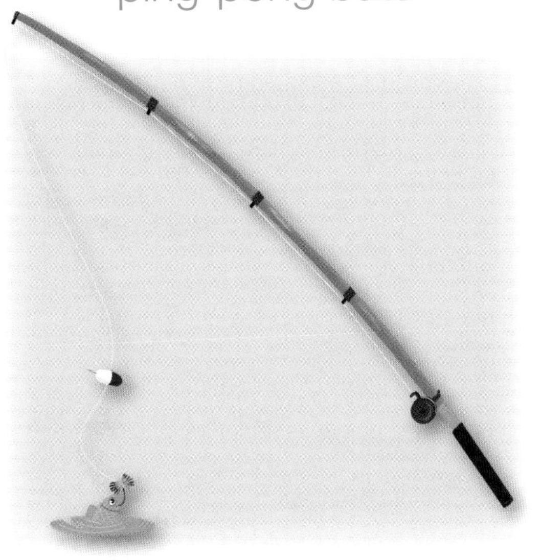

une canne à pêche

a fishing rod

des clubs de golf

golf clubs

Des vêtements

Tout le monde
ne s'habille pas
de la même façon.
Cela dépend
des goûts.

Que met-on aux pieds
de bébé pour qu'il
ait bien chaud ?

un body

a bodysuit

un pyjama de bébé

baby pyjamas

des chaussons de bébé

bootees

Pour sortir bébé quand il fait froid, dans quoi le glisse-t-on ?

Pour la nuit, on peut mettre bébé dans une gigoteuse. Vrai ou faux ?

une gigoteuse
a baby sleeping bag

une combinaison
a pramsuit

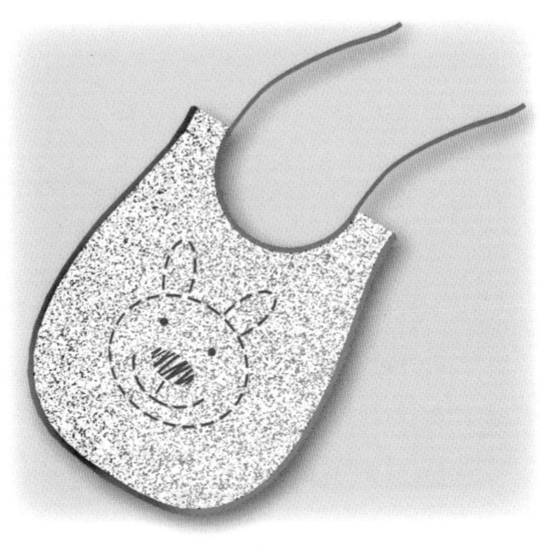

une serviette de bébé
a bib

un nid d'ange
a baby nest

Quelle est la différence
entre une jupe et
une robe ?

Quel vêtement est porté
aussi bien par les filles
que par les garçons ?

une robe

a dress

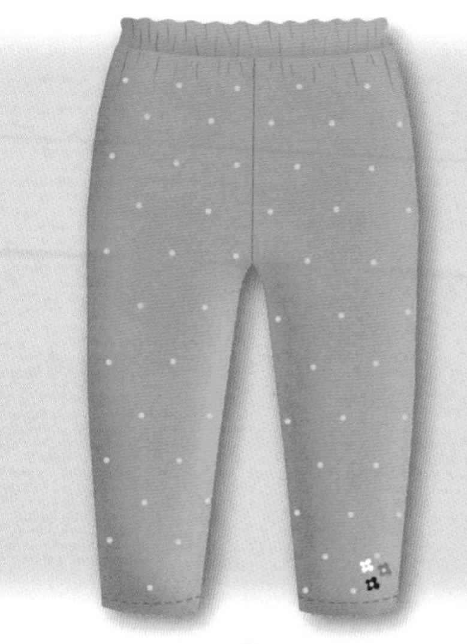

un caleçon

leggings

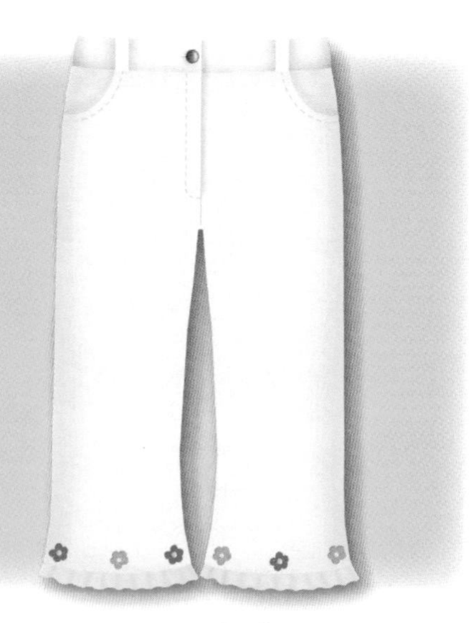

un pantalon

a pair of trousers

une jupe

a skirt

Du pull et du gilet, lequel a des boutons sur le devant ?

Quel vêtement ressemble à un pantalon à bretelles ?

une salopette

dungarees

un pull-over

a jumper

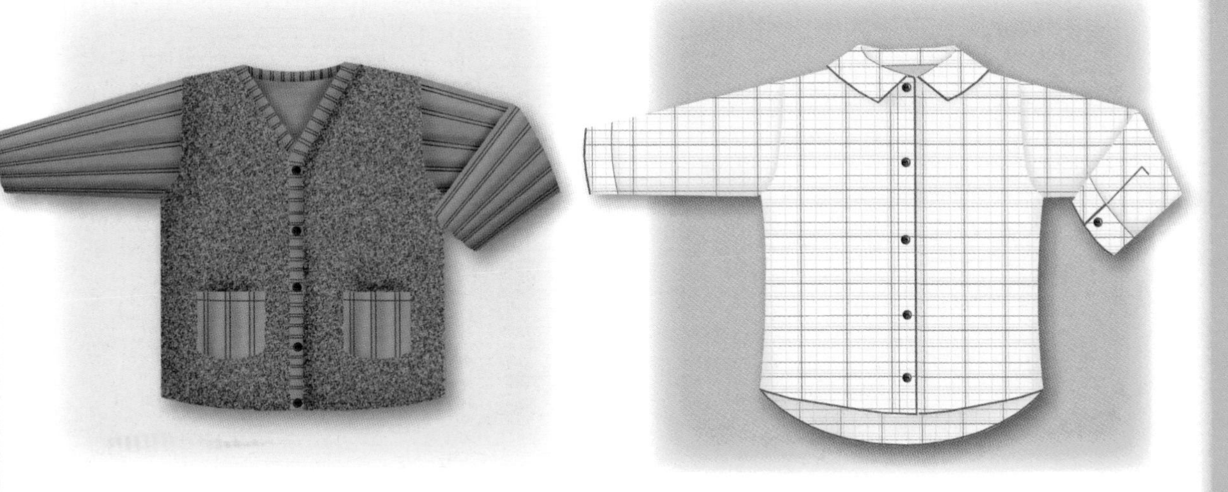

un gilet

a cardigan

une chemise

a shirt

Pour le sport

Pour faire du sport, on porte des vêtements assez larges pour ne pas être gêné dans ses mouvements.

Quelles chaussures porte-t-on pour pratiquer un sport ?

un survêtement

a tracksuit

des baskets

trainers

un short

shorts

Pour le soir

Pour se coucher, on se déshabille et on enfile des vêtements pour la nuit.

Que portent, en général, les filles pour se coucher ?

une chemise de nuit
a nightdress

un pyjama
pyjamas

des chaussons
slippers

Quand il fait chaud

En été, on porte des vêtements légers pour éviter d'avoir trop chaud.

Que met-on pour aller se baigner dans l'eau ?

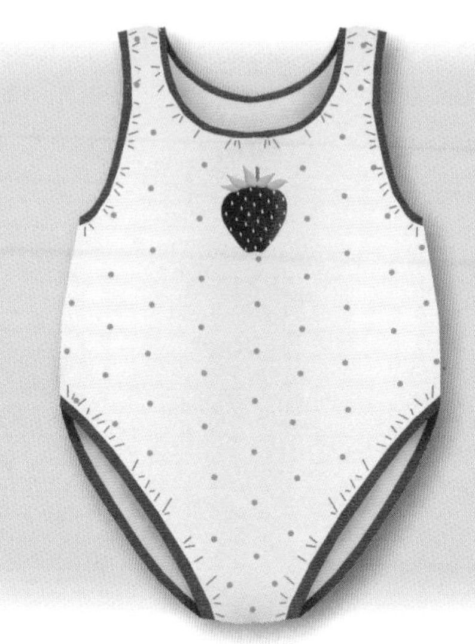

un maillot de bain

a swimsuit

une robe

a dress

un chapeau

a hat

Que met-on sur la tête pour se protéger du soleil ?

Quelles chaussures porte-t-on pieds nus pour aller à la plage ?

un slip de bain

swimming trunks

un bermuda

bermuda shorts

une casquette

a cap

des tongs

flip-flops

Quand il fait froid

En hiver, il faut
se protéger du froid.
On s'emmitoufle
dans des vêtements
bien chauds.

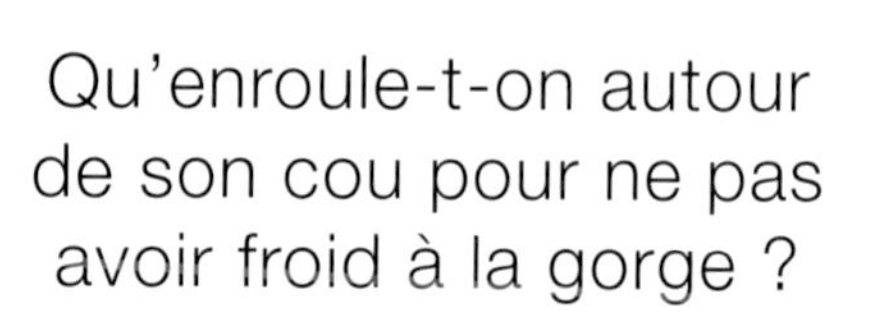

Qu'enroule-t-on autour
de son cou pour ne pas
avoir froid à la gorge ?

un bonnet
a woolly hat

des moufles
mittens

une écharpe
a scarf

des gants
gloves

Quelle veste très
chaude et légère
porte-t-on en hiver ?

Quel vêtement d'une seule
pièce porte-t-on
pour faire du ski ?

une doudoune

a down jacket

une combinaison

a pramsuit

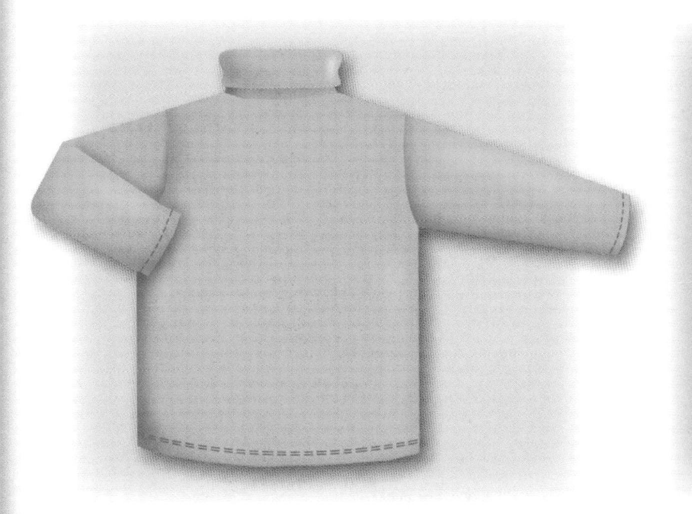

un sous-pull

a polo-neck sweater

des après-skis

snow boots

Quand il pleut

Pour se protéger de la pluie, on enfile des vêtements qui ne laissent pas passer l'eau.

Que doit-on mettre à ses pieds pour éviter qu'ils soient mouillés ?

un imperméable

a raincoat

un parapluie

an umbrella

des bottes

wellingtons

Les accessoires

Pour faire joli,
les filles attachent
leurs cheveux avec
des chouchous
de couleur.

Que passe-t-on autour
de la taille pour tenir
le pantalon ?

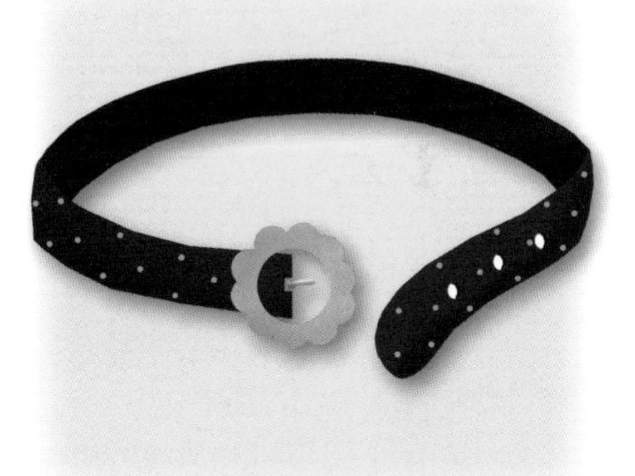

une ceinture

a belt

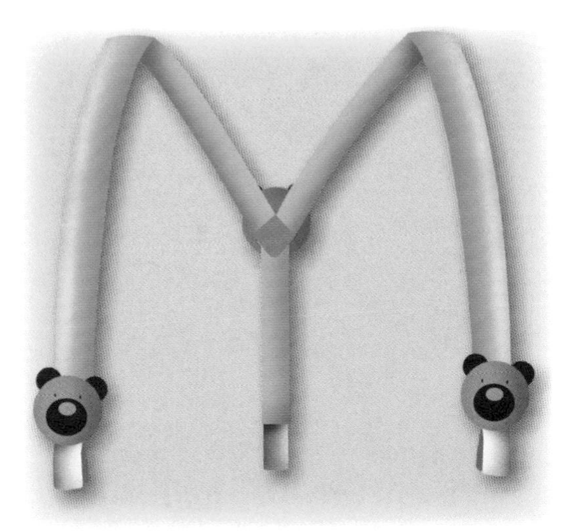

des bretelles

braces

des barrettes

hairgrips

Les dessous

Les vêtements, slip, culotte ou débardeur, que l'on porte à même la peau, s'appellent des dessous.

Les garçons mettent-ils des slips ou des culottes ?

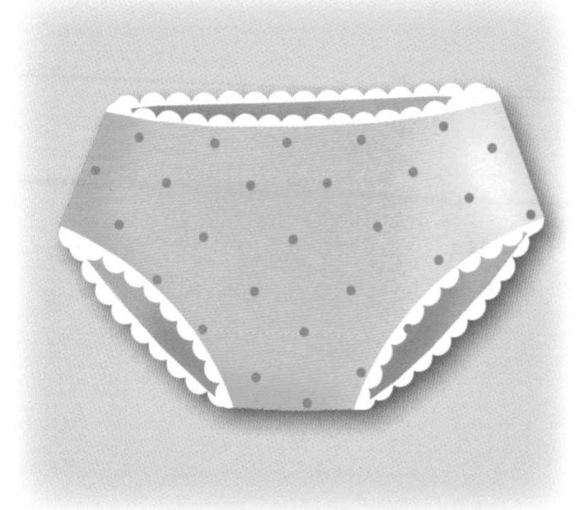

une culotte

panties

un caleçon

boxer shorts

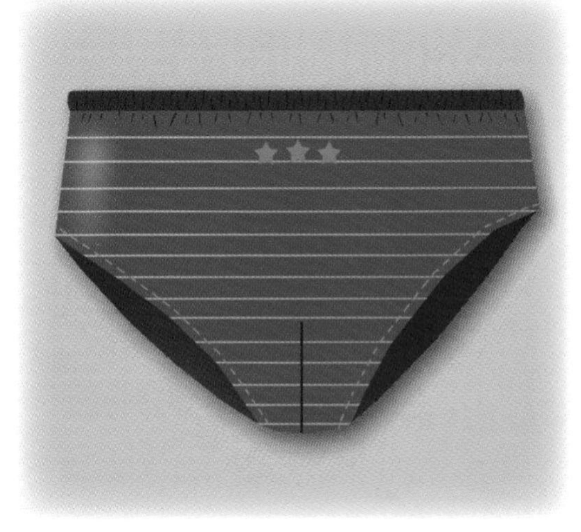

un slip

underpants

Que doit-on enfiler sur ses pieds avant de mettre des chaussures ?

En été, porte-t-on un tee-shirt ou un gros pull en laine ?

un débardeur
a tank top

un tee-shirt
a tee-shirt

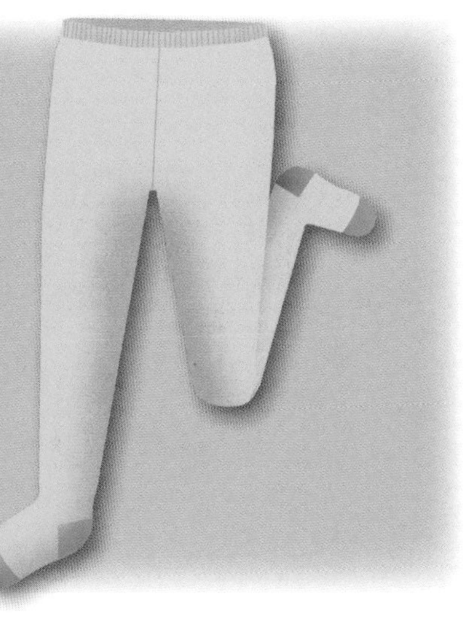

un collant
a pair of tights

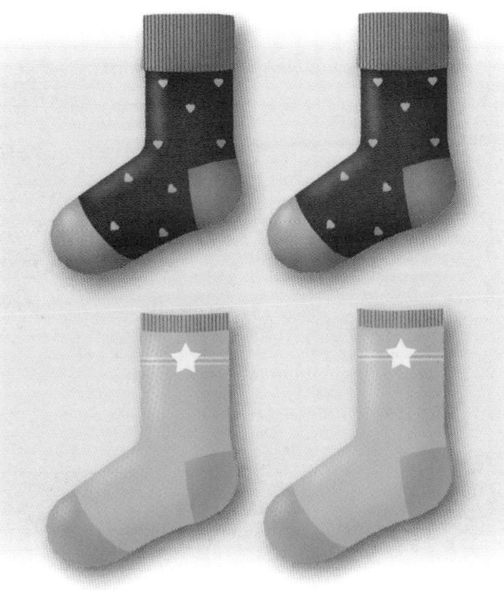

des chaussettes
socks

Sur la route

Les véhicules circulent sur les routes et les autoroutes. Ils doivent respecter le code de la route.

En ville, on traverse les rues en empruntant les passages piétons. Vrai ou faux ?

un feu tricolore

traffic lights

un panneau

a sign

un passage piéton

a pedestrian crossing

Dans quoi un petit enfant doit-il être assis en voiture ?

Devant quoi s'arrête-t-on pour faire le plein d'essence ?

une voiture

a car

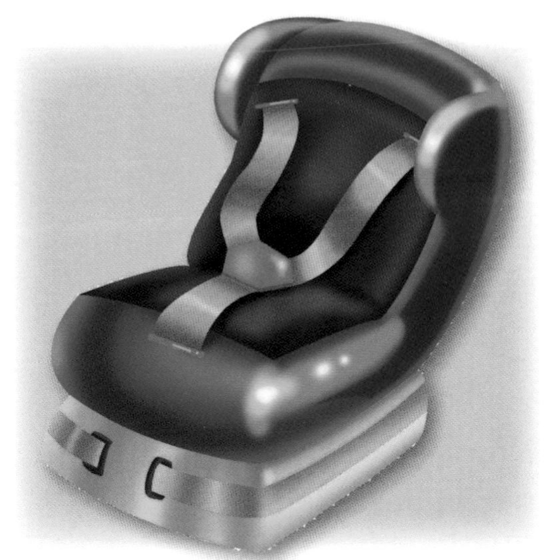

un siège auto

a car seat

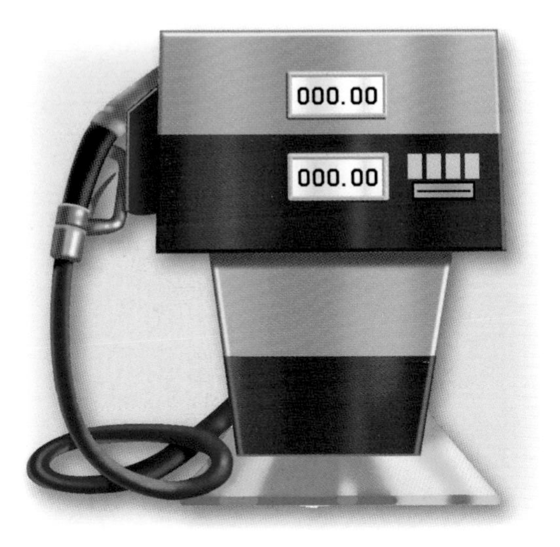

une pompe à essence

a petrol pump

une roue

a wheel

Qui arrive avec un gros camion rouge lorsqu'il y a le feu ?

Quel véhicule est le plus lourd : une voiture ou un camion ?

un camion

a truck

un camion-citerne

a tanker

un camion de pompiers

a fire engine

un camping-car

a camper van

Que doit-on porter sur la tête quand on fait de la moto ?

Qu'est-ce qui roule le plus vite : un vélo ou une moto ?

un vélo

a bike

une moto

a motorbike

un casque

a helmet

un scooter

a motor scooter

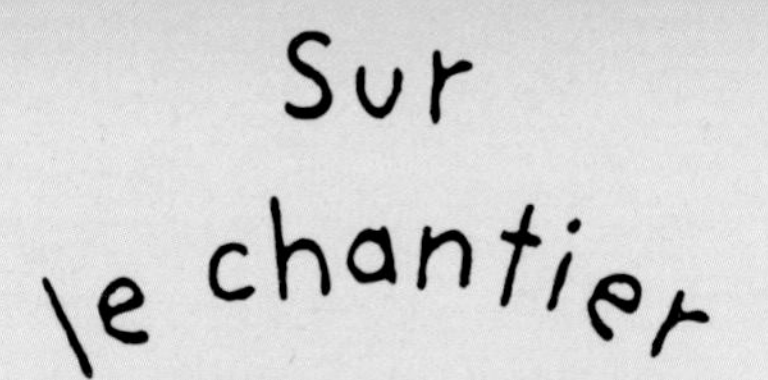

Les engins
de chantier
servent à transporter,
à lever, à pousser,
à étaler les matériaux.

Quel engin permet de soulever de lourdes charges quand on construit un immeuble ?

une grue

a crane

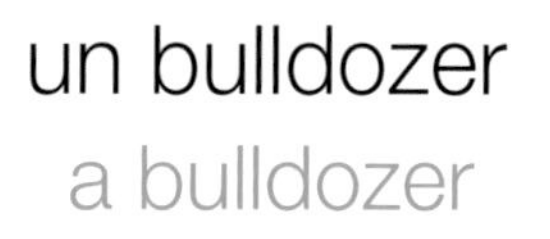

un bulldozer

a bulldozer

un rouleau compresseur

a steam roller

Des engins agricoles

Ils permettent à l'agriculteur de labourer, de semer les graines ou de récolter ce qu'il a fait pousser.

Quelle énorme machine est utilisée pour couper le blé en été ?

un tracteur

a tractor

une moissonneuse-batteuse

a combine harvester

une remorque

a trailer

Sur l'eau

Sur l'eau naviguent
des bateaux à voiles
et des bateaux
à moteur.

C'est grâce au vent qui souffle
dans ses voiles que le voilier
avance. Vrai ou faux ?

une planche à voile
a surfboard

un jet-ski
a jet ski

un voilier
a sailing boat

Un paquebot transporte-t-il des marchandises ou des passagers ?

Quel petit bateau fait-on avancer avec des rames ?

un paquebot
an ocean liner

un pétrolier
a tanker

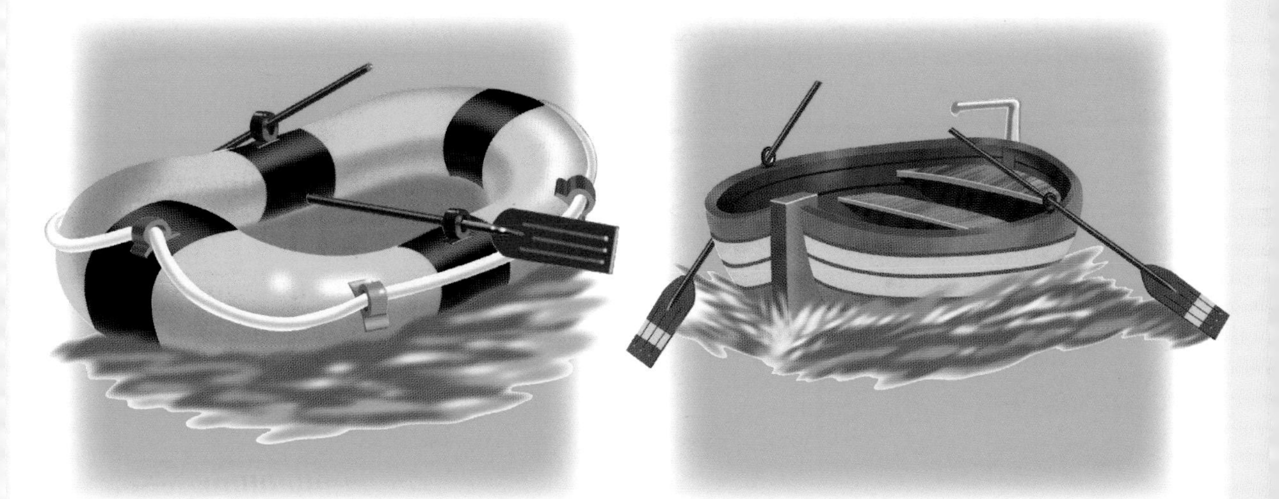

un canot pneumatique
a rubber dinghy

une barque
a rowing boat

Sur les rails

Sur les rails roulent des trains de voyageurs et de marchandises, des métros et des tramways.

Qu'est-ce qui roule sous terre et s'arrête à des stations ?

un train

a train

un tramway

a tram

un métro

an underground train

Dans le ciel

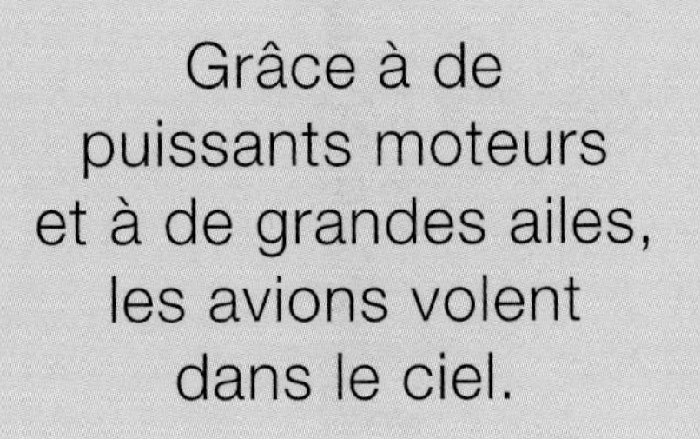

Grâce à de puissants moteurs et à de grandes ailes, les avions volent dans le ciel.

À bord de quel engin les hommes sont-ils allés sur la Lune ?

un avion

an airplane

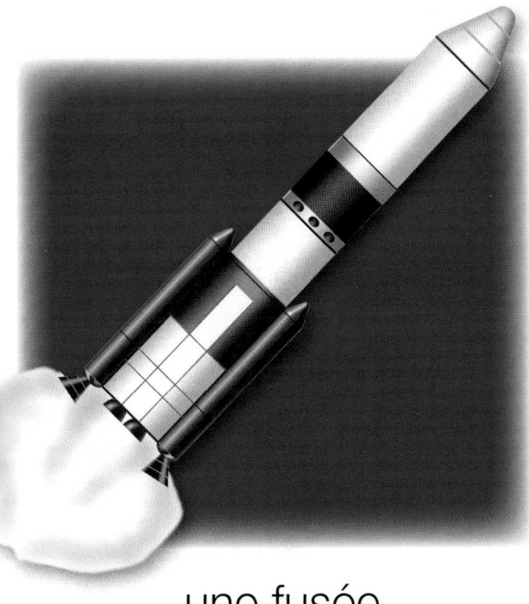

une fusée

a rocket

un hélicoptère

a helicopter

Dans la nature

Les arbres, les fleurs,
les animaux, les paysages,
le soleil et la lune
font partie de
la nature.

Quel arbre garde ses feuilles,
appelées aiguilles,
toute l'année ?

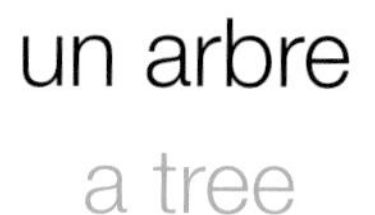

un arbre

a tree

un sapin

a fir tree

des fleurs

flowers

Qu'est-ce qui brille dans le ciel quand il fait nuit et qu'il n'y a pas de nuages ?

Quand il pleut et qu'il y a du soleil, il se forme un arc-en-ciel. Vrai ou faux ?

le soleil

the sun

la lune

the moon

un arc-en-ciel

a rainbow

un nuage

a cloud

Des animaux de la ferme

Ces animaux
sont élevés à la ferme
et dans les champs
par le fermier
et la fermière.

Quel animal réveille la ferme
le matin en chantant
« cocorico ! » ?

une poule

a hen

un coq

a rooster

un canard

a duck

Quel animal donne
du lait et fait
« meuh ! meuh ! » ?

Quel animal avec de
la laine sur le dos fait
« bêêê ! » ?

un lapin
a rabbit

un dindon
a turkey

une vache
a cow

un mouton
a sheep

Quel animal aux grandes oreilles fait « hi han ! hi han ! » ?

Quel animal tout rose a une queue en tire-bouchon ?

un cheval

a horse

un âne

a donkey

un cochon

a pig

une chèvre

a goat

Des animaux familiers

Les animaux familiers
vivent dans la maison.
Toute la famille
doit s'en occuper
et les nourrir.

Quel animal ronronne
de plaisir quand
on le caresse ?

un chien
a dog

un chat
a cat

un hamster
a hamster

Des animaux de la mer

Dans la mer, il n'y a pas que des poissons. On y trouve aussi des baleines, des tortues, des dauphins, etc.

Montre le plus gros de tous les animaux du monde.

un dauphin

a dolphin

un requin

a shark

une baleine

a whale

Montre l'animal qui a une grosse tête et plusieurs bras.

Quel animal a une belle carapace sur le dos pour le protéger ?

un phoque

a seal

une méduse

a jelly fish

une tortue de mer

a turtle

une pieuvre

an octopus

Des animaux de la forêt

En forêt, les animaux sont difficiles à observer, car ils se déplacent surtout la nuit.

Quel animal fait très peur quand il crie « hou ! hou ! hou ! » ?

un écureuil

a squirrel

un renard

a fox

un loup

a wolf

Comment s'appellent le papa et la maman du faon ?

Quel animal tout marron est très aimé des enfants quand il est en peluche ?

un cerf
a stag

une biche et son faon
a hind and its fawn

un sanglier
a wild boar

un ours
a bear

De petites bêtes

Ce sont les insectes
qui volent, qui marchent
ou qui sautent
et les araignées qui
souvent font peur.

Peux-tu montrer
l'insecte volant qui
donne du miel ?

une fourmi

an ant

une mouche

a fly

une abeille

a bee

Quel animal rampant
se transforme en
un joli papillon ?

Quel insecte très gentil
a de belles ailes rouges
avec des points noirs ?

une guêpe
a wasp

une coccinelle
a ladybird

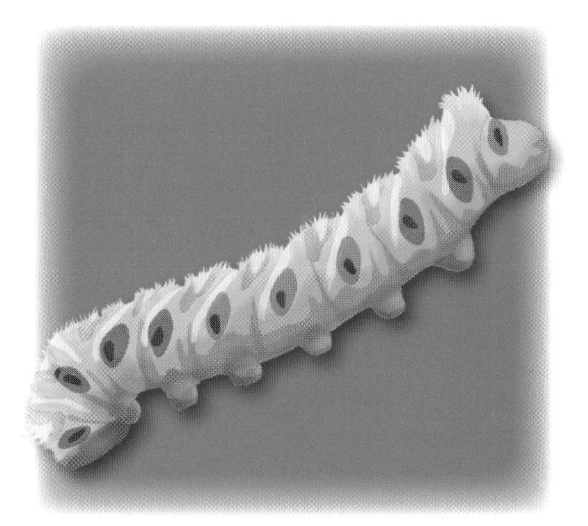

une chenille
a caterpillar

un papillon
a butterfly

Quel animal tisse une toile avec ses pattes pour attraper des insectes ?

En été, quel insecte vert se déplace en sautant dans l'herbe ?

un scarabée
a beetle

un moustique
a mosquito

une sauterelle
a grasshopper

une araignée
a spider

Des oiseaux

Presque tous les oiseaux ont deux ailes, deux pattes, un bec, et volent.

Quel oiseau aux grandes ailes noires aperçoit-on, dès que le printemps revient ?

un moineau

a sparrow

une hirondelle

a swallow

un rouge-gorge

a robin

Quel oiseau ne vole pas mais marche en se dandinant ?

Quel oiseau des villes tout gris roucoule en faisant des « rrrou ! » ?

un pigeon

a pigeon

un aigle

an eagle

une mouette

a seagull

un manchot

a penguin

Montre deux
oiseaux qui ont
de longues pattes.

Montre l'oiseau de
toutes les couleurs
qui parle beaucoup.

un hibou
an owl

un perroquet
a parrot

une autruche
an ostrich

une cigogne
a stork

Quel oiseau tout noir
au bec jaune siffle
le matin ?

Quel oiseau a
une tête jaune et
le corps vert ?

une pie
a magpie

un merle
a blackbird

un corbeau
a crow

une perruche
a budgerigar

Des animaux des champs

Dans la journée,
ils se cachent dans
les haies et les
buissons ou au
milieu des herbes.

Quel animal avec une coquille
sur le dos se promène
quand il pleut ?

un escargot
a snail

une belette
a weasel

une souris
a mouse

Montre un petit animal tout noir avec de petits yeux. Sais-tu qu'il vit sous terre ?

Quel animal avec de grandes oreilles ressemble à un lapin ?

une taupe

a mole

un lièvre

a hare

une limace

a slug

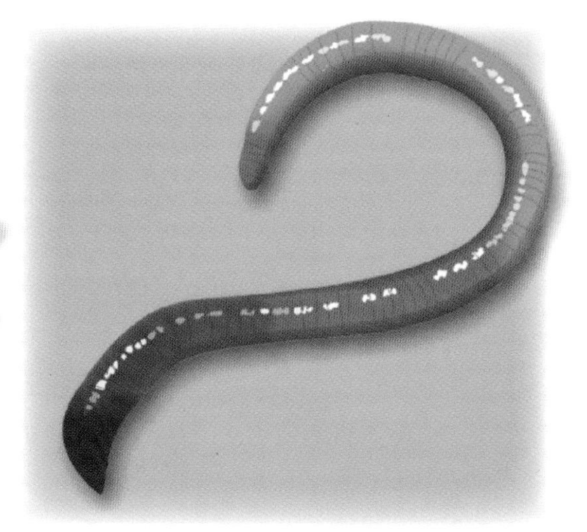

un ver de terre

an earthworm

Quel animal a
le corps recouvert
de piquants ?

Quel animal volant la nuit
ressemble à une souris
avec des ailes ?

un faisan

a pheasant

une chauve-souris

a bat

un hérisson

a hedgehog

un lézard

a lizard

Des animaux de la montagne

En été, ils sont difficiles à observer. En hiver, on peut apercevoir les traces de leur passage dans la neige.

Montre l'animal qui a les cornes les plus petites.

une marmotte

a marmot

un chamois

a chamois

un bouquetin

an ibex

Au bord de l'eau

Ces animaux
vivent près des lacs,
des étangs ou
des rivières.

Quel petit animal vert
se déplace en sautant et fait
« coâ ! coâ ! » ?

un castor
a beaver

un cygne
a swan

une grenouille
a frog

Montre un insecte ayant
de grandes ailes et
un corps tout fin.

Montre un oiseau au
long bec et aux
grandes pattes.

un héron

a heron

une libellule

a dragonfly

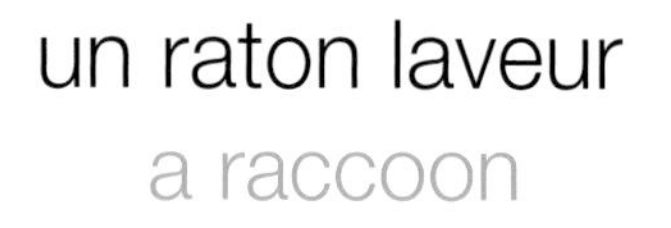

un raton laveur

a raccoon

une loutre

an otter

D'autres animaux

Ce sont des animaux qui vivent dans des pays lointains, souvent très chauds, dans la savane ou dans les forêts.

Quel animal énorme a une longue trompe qu'il utilise comme une main ?

un éléphant
an elephant

une girafe
a giraffe

un rhinocéros
a rhinoceros

Quel animal ressemble à un cheval qui aurait enfilé un pyjama à rayures ?

Quel est l'animal qui, lorsqu'il ouvre la gueule, montre de grandes dents ?

un lion

a lion

une gazelle

a gazelle

un zèbre

a zebra

un hippopotame

a hippopotamus

Quel animal se promène avec son bébé dans une poche sur son ventre ?

Quel animal très long, sans pattes, rampe sur le sol ?

un crocodile

a crocodile

un serpent

a snake

une hyène

a hyena

un kangourou

a kangaroo

Du chameau et du dromadaire, lequel a une seule bosse ?

Quel animal ressemble à un gros nounours noir et blanc ?

un tigre

a tiger

un koala

a koala bear

un panda

a panda

un chameau

a camel

Quel animal a des rayures noires sur tout le corps ?

Quel animal tout noir aime souvent faire des grimaces ?

un lynx

a lynx

un dromadaire

a dromedary

un singe

a monkey

un caméléon

a chameleon